## Ellen Tijsinger

Ellen Tijsinger werd geboren in Utrecht als oudste van een gezin met drie meisjes. Na de middelbare school studeerde ze aan een hbo Kinderpsychologie, Opvoedkunde, Handenarbeid, Spelleiding en Literatuur. In al deze vakken heeft ze ook met veel plezier lesgegeven.

Ze trouwde, en kreeg een dochter en een zoon. Toen de jongste naar de peuterspeelzaal ging, begon Ellen met schrijven. Eerst boeken en tijdschriftartikelen over haar eigen vakgebied, maar een paar jaar later ook kinderboeken. En dat werd haar grote passie. De eerste boeken waren bestemd voor jonge kinderen, daarna schreef ze ook veel voor de oudere jeugd. Omdat ze nu kleinkinderen heeft, vindt ze het heerlijk om ook weer voor jonge kinderen te schrijven.

De inspiratie voor haar boeken haalt ze uit het leven zelf, en uit de verre reizen die ze maakt naar landen als India, Nicaragua, Kenia, Burkina Faso, Roemenië en Hongarije. Ellen hoopt dat de kinderen die haar boeken lezen, ervan kunnen genieten en zich echt betrokken voelen bij wat er gebeurt en meeleven met de hoofdpersoon, zodat het net lijkt of ze zelf alles meemaken.

Ellen Tijsinger werd veelvuldig bekroond door Kinderjury's in het land, haar jeugdboek *Morgenster* werd bekroond door de Nederlandse Kinderjury en tweemaal won ze Het Bronzen Boek, een Vlaamse jeugdboekenprijs. Van Ellen Tijsinger werden al meer dan 300.000 boeken verkocht!

Lees ook over Oma Krullenbol:

*Oma Krullenbol is verliefd*

# Ellen Tijsinger

# Oma Krullenbol gaat op zwemles

met tekeningen van Dagmar Stam

Uitgeverij Ploegsma Amsterdam

Voor dezelfde leeftijd schreef Ellen Tijsinger ook:
*Eline en kleine meeuw*
*Eline en de ziekenhuismuis*
*Eline is een prinses*
*Een heel jaar feest*
*Een heel jaar lief, en soms een beetje stout*
*Het grote decemberboek*
*Oma Krullenbol is verliefd*

STICHTING NEDERLANDSE
**KINDERJURY**
**2007**

*Kijk ook op:*
*www.ploegsma.nl*
*www.ellentijsinger.nl*

AVI 8

ISBN 90 216 1900 8 / NUR 281/282
© Tekst: Ellen Tijsinger 2006
© Illustraties: Dagmar Stam 2006
Vormgeving omslag: Petra Gerritsen
© Deze uitgave: Uitgeverij Ploegsma bv, Amsterdam 2006

# Inhoud

# Een roze bikini en een piratenzwembroek

Eline en Joost zijn met hun moeders naar de stad geweest. Ze heb- ben zwemkleren gekregen, want volgende week gaan ze voor het eerst op zwemles. Ze vinden het alle twee heel spannend.

'Je spat me toch niet nat, hè?' vraagt Eline aan Joost.

'Natuurlijk niet,' zegt Joost, maar hij kijkt zo ondeugend, dat Eline hem maar half gelooft.

Maar hun moeders zeggen dat leren zwemmen heel leuk is en ze vertellen over vroeger toen ze zelf op zwemles zaten en over hoe hun moeders zwemmen leerden.

'De badmeester had in de tijd dat oma leerde zwemmen een lange hengel met een haak eraan,' zegt de moeder van Joost. 'Die hield hij onder haar arm en dan moest ze zwemmen zonder bandje, maar halverwege haalde hij stiekem de haak weg en dan zwom ze gewoon door.'

'Maar als ze merkte dat de haak weg was, bleef ze ineens niet meer drijven en dan greep ze vast gauw de kant,' giechelt Inge, de moeder van Eline.

Eline houdt haar roze bikini omhoog.

'Hoe vind je hem?' vraagt ze aan Joost.

'Mooi!' zegt hij. 'Toen je 'm aanhad, leek je wel een zeemeermin.'

Eline lacht. Joost maakt altijd grapjes. 'Ik heb benen, hoor,' zegt ze. 'Geen staart.'

Ze stopt de bikini in haar nieuwe roze badtas, hangt die over haar schouder en loopt een rondje door de kamer. Het voelt zo net alsof ze al een beetje kan zwemmen.

Joost heeft een stoere bruine zwembroek met een matroos erop.

'Het is een echte piratenzwembroek,' zegt hij trots. 'Als ik die aanheb, blijf ik vanzelf drijven.'

Julian, Elines kleine broertje, heeft ook een zwembroekje gekregen.

'Die van mij is het mooist,' zegt hij. Hij wijst naar de dolfijntjes die erop staan. 'Als ik hem aanheb, kan ik meteen zwemmen.'

Julian wil ook graag leren zwemmen, maar hij is nog veel te klein. 'Later als je net zo groot bent als Eline en Joost mag je ook op zwemles,' zegt mama. Maar Julian schudt zijn hoofd. 'Ik ga in bad alvast oefenen,' zegt hij.

'Zullen we onze nieuwe zwemspullen aan oma Krullenbol laten zien?' stelt Eline voor. Oma Krullenbol woont in het laatste huis van het Laantje zonder Eind. Haar grote tuin grenst aan het weiland van boer Bart. Eline, Joost en Julian spelen er vaak. Dat mag. Oma Krullenbol vindt het zelfs gezellig als ze tussen de struiken verstoppertje of tikkertje spelen.

Vroeger, toen ze jong was, werkte oma Krullenbol in het circus. Ze vertelt daar spannende verhalen over en ze leert hun circuskunstjes én ze bakt de lekkerste koekjes van de wereld.

Joost stopt zijn zwembroek ook in zijn nieuwe badtas. Net als Eline doet hij hem over zijn schouder. Ze zien er echt stoer uit. Julian heeft geen badtas. Die heeft hij nog niet nodig. Hij zet zijn zwembroek als een hoedje op zijn hoofd en rent op zijn korte beentjes achter zijn grote zus en haar vriendje aan. Hij heeft zijn knuffel Beer onder zijn arm, want die moet overal mee naartoe.

Oma Krullenbol zit op haar bloemetjesbank lekker in de zon. Als ze een poesje was, zou ze spinnen.

Haar viool ligt naast haar. Meestal speelt ze 's avonds als Eline, Joost en Julian in bed liggen. Door het open raam horen ze dan de mooie muziek die oma Krullenbol uit haar viool tovert. Ze vallen er altijd snel van in slaap.

'Raad eens wat wij hebben gekregen!' roept Eline. Ze stopt haar badtas achter haar rug en Joost doet het gauw ook.

Oma Krullenbol trekt een diepe denkrimpel in haar voorhoofd.

'Een zwembroek!' roept Julian en hij trekt gauw zijn zwembroekhoedje van zijn hoofd en maakt een diepe buiging alsof hij een circusclown is.

'Julian!' roept Eline. 'Waarom verklap je het nou?'

'Ik heb er toch een!' zegt hij. Hij trekt grote ogen. Soms begrijpt hij zijn zusje niet.

'Hebben jullie ook een nieuw badpak gekregen?' vraagt oma Krullenbol. Eline en Joost knikken. 'Zal ik eens raden welke kleur?'

Eline legt snel een hand op Julians mondje voordat hij het weer verraadt.

'Meisjes houden van roze,' zegt oma Krullenbol. 'Ik denk dat

Eline een roze badpak heeft en Joost een lichtblauwe, net zoals Julian, maar dan zonder dolfijntjes erop.'

'Tara!' roept Eline terwijl ze haar nieuwe badtas van achter haar rug tevoorschijn tovert. 'Bijna goed! Het is geen zwempak, maar een bikini!' Ze haalt hem er snel uit.

Oma Krullenbol slaat haar handen ineen van bewondering. 'Prachtig!' zegt ze. 'Die staat je vast heel mooi.'

Joost haalt zijn zwembroek ook tevoorschijn. 'Ach, die had ik fout geraden,' zegt oma Krullenbol. 'Bruin. Het lijkt wel een piratenbroek.'

'Dat is het ook,' zegt Joost. 'Als ik hem aanheb, blijf ik vanzelf drijven.'

'En wanneer gaan jullie op zwemles?' vraagt oma Krullenbol.

'De volgende week, op woensdagmiddag, en op zondagmorgen gaan we met papa naar het grote zwembad in de stad, dan leren we het extra snel.'

'Gaat u ook mee, oma Krullenbol?' vraagt Eline. 'Dat is leuk!'

'Ik weet het niet,' zegt oma Krullenbol. 'Ik moet het gras maaien en boer Bart helpen met eieren rapen en ik moet muziek maken en zondag slaap ik altijd uit.'

'Houdt u wel van zwemmen?' vraagt Joost.

'Brrr!' zegt oma Krullenbol. 'Ik ga iedere morgen onder de douche. Ik ben heus niet bang voor water.'

'Maar dat is toch wat anders dan zwemmen,' zegt Joost.

'Dat is zo,' zegt oma Krullenbol. Ze rilt een beetje alsof ze het koud heeft. 'Ik ben eerlijk gezegd nog nooit in een zwembad geweest.'

'Bent u nog nooit van de glijbaan afgegaan en hebt u nog nooit in het bubbelbad gezeten? Ook niet toen u klein was?' vraagt Eline.

'Nog nooit,' zegt oma Krullenbol. 'Maar ik vind het heel fijn om lekker lang te douchen.'

Eline en Joost kijken elkaar aan. Kan oma Krullenbol eigenlijk wel zwemmen?

# Een leuk idee

Het is zaterdagmorgen. Eline en Julian zijn net wakker en lopen in hun pyjama beneden. Julian heeft zijn dinosaurussen op tafel naast zijn boterhambordje gezet en laat ze van de kaas naar de hagelslag lopen. Eline lacht. Het is grappig hoe Julian met steeds andere stemmetjes de dinosaurussen tegen elkaar laat praten. Eline speelt zelf liever met haar barbiepoppen. Ze heeft een koffertje vol met jurkjes en iedere dag trekt ze haar barbies wat anders aan.

Ze gaan gauw aan tafel zitten, want papa haalt de croissantjes uit de oven en zet ze in een mandje op tafel. Op zaterdag ontbijten ze altijd met warme broodjes. Dat hoort bij het weekend, dan hebben ze tijd genoeg. Eline hoeft niet naar school en papa en mama zijn ook vrij.

Mama snijdt voor Eline en Julian de croissantjes open, maar ze smeren er zelf boter op. Eline doet er kaas op en Julian hageltjes. Ze vallen ook naast zijn bordje en op de grond.

'Hallo, Julian,' zegt Eline. 'Zo krijgen we weer muizen.'

Gisteren liep er zomaar een grijs muisje door de kamer. Papa heeft hem gevangen en in de tuin losgelaten. 'Muizen horen buiten,' had hij gezegd.

De vader van Eline en Julian is al aan zijn tweede croissantje toe. Hij heeft altijd honger.

'Zullen we vandaag naar het strand gaan?' vraagt hij.

'Ja!' roepen Eline en Julian tegelijk en hun moeder vindt het ook een leuk idee.

'Dan kan ik mijn nieuwe bikini aan en Julian zijn mooie dolfijnenbroek,' zegt Eline.

'Mag Joost ook mee?' vraagt Julian. Joost is Elines vriendje. Ze zitten in dezelfde klas. Joost heeft geen broertje of zusje en daarom heeft hij met Eline afgesproken dat Julian ook een beetje zijn broertje is.

'Ga het na het eten maar vragen,' zegt de moeder van Eline en Julian.

Julian stopt twee happen tegelijk in zijn mond.

'Niet proppen, Julian,' zegt zijn moeder. 'Je bent toch geen hamster!'

'Ik ben een dinosaurus,' zegt Julian en hij neemt snel nog een hap.

Na het eten kun je altijd precies zien waar Julian heeft gezeten.

'Je bent een kleine knoeipot,' zegt hun moeder en ze wrijft over zijn blonde haartjes die allemaal rechtop staan.

Als de broodjes op zijn, kruipen Eline en Julian door het gat in de heg. Joost woont naast hen en hij heeft ook zijn pyjama nog aan. Hij ligt languit op de grond en speelt met zijn kasteel van lego. Hij heeft alle paarden en ridders op een rij voor de ophaalbrug gezet. De prinses die gered moet worden, staat voor het raam in de torenkamer.

Eline tikt tegen de ruit van de serre. Joost springt overeind en schuift de deur open. Eline en Julian glippen naar binnen.

'Ga je mee naar het strand?' vraagt Eline. Julian gaat meteen met het kasteel spelen. Hij draait de ophaalbrug naar beneden, laat alle ridders erover lopen en zet ze op de binnenplaats.

'Papa en mama zijn boven,' zegt Joost. 'Ik ga het even vragen.'

De moeder van Joost zet net het raam van zijn kamertje open. Ze heeft natte haren en draagt een badstof ochtendjas. Vanuit de badkamer klinkt gekletter van water en vrolijk gefluit. De vader van Joost staat onder de douche.

'Mag ik met Eline mee naar het strand?' vraagt Joost.

'Gaan jullie de hele dag?' vraagt ze.

'Tuurlijk,' zegt Eline. 'We nemen broodjes en drinken mee.'

'Het is wel handig,' zegt de mama van Joost. 'We moeten naar de stad nieuwe kleren voor papa kopen en Joost vindt winkelen niet leuk.'

'Nee,' zegt Joost, 'winkelen is stom!'

'Nou, vooruit, als Elines mama het goed vindt, mag je wel mee.'

'Gaan we een zandkasteel bouwen?' vraagt Joost.

'Ja!' roept Eline. 'Zullen we vragen of oma Krullenbol ook mee-gaat?'

Ze stommelen achter elkaar de trap af en gaan meteen door de voordeur naar buiten. In hun pyjama rennen ze het Laantje zonder Eind over.

Oma Krullenbol is in de tuin onkruid aan het wieden.

'Goedemorgen, kinderen,' zegt ze.

'Gaat u mee naar het strand, oma Krullenbol?' vraagt Eline.

'We gaan een kasteel maken en taartjes bakken,' zegt Joost.

'Het lijkt me leuk,' zegt oma Krullenbol. 'Ik heb al zo'n tijd de zee niet gezien, maar buurman Krakeling zou vanmiddag op bezoek komen.'

Eline en Joost kijken elkaar aan. Ze weten dat oma Krullenbol en Karel Krakeling een beetje verliefd op elkaar zijn. Ze zitten vaak in de tuin op de bloemetjesbank naar de maan en de sterren te koekeloeren. Karel houdt dan altijd oma Krullenbols hand vast en Eline heeft een keer gezien dat ze elkaar een kusje gaven.

'Dan vraagt u toch of hij ook meegaat,' zegt ze.

'Ga eerst maar aan je mama vragen of het goed is,' zegt oma Krullenbol.

Eline en Joost hollen weer naar de overkant.

'Mam, mogen oma Krullenbol en meneer Krakeling ook mee?' roept Eline.

'Ja hoor,' zegt mama. 'Hoe meer zielen, hoe meer vreugd.'

'Hoe bedoel je?' vraagt Eline.

'Het is een spreekwoord,' zegt mama. 'Het betekent dat veel mensen samen vaak vrolijk zijn.'

Eline en Joost rennen weer terug. Halverwege de straat staat Eline stil. 'Waar is Julian?'

Joost loopt naar zijn huis en gaat op zijn tenen voor het raam staan. Zo kan hij precies in de kamer kijken. Zijn vader leest de

krant en Julian ligt op zijn buik op de grond en praat tegen de ridders.

'Hij speelt met mijn kasteel,' stelt Joost Eline gerust. 'Mijn vader let wel op hem.'

Oma Krullenbol staat al op de uitkijk.

'Het is goed, hoor,' zegt Eline. 'Mijn mama zei dat veel mensen samen altijd vrolijk zijn.'

'Zoiets ja,' zegt Joost knikkend.

Oma Krullenbol lacht. 'Ze heeft vast gezegd: hoe meer zielen, hoe meer vreugd.'

'Ja, dat was het!' roepen Eline en Joost tegelijk.

'Dat zeggen mensen als ze gezellig willen doen,' zegt Eline.

'Wie gaan er hier gezellig doen?' Het is de stem van Karel Krakeling. Zijn hondje Keffie loopt voor hem uit en springt vrolijk blaffend tegen Eline en Joost op.

'Stil, Keffie,' zegt Karel Krakeling. 'Wat maak je toch altijd een lawaai.'

Maar Eline en Julian vinden het niet erg. Keffie is grappig. Hij geeft een poot en likt over hun wang. Ze zijn vriendjes.

Oma Krullenbol moet ook lachen om dat vrolijke hondje. Hij rent op zijn korte pootjes haar tuin in en jaagt de vogels uit de struiken.

'Eline en Joost hebben me net gevraagd of ik mee naar de zee ga,' zegt oma Krullenbol tegen Karel Krakeling.

'En ons afspraakje dan?' vraagt hij een beetje teleurgesteld.

'U mag natuurlijk ook mee!' roept Eline snel.

'Ja, hoe meer zielen, hoe meer vreugd,' zegt Joost, die heel trots kijkt omdat hij dat moeilijke spreekwoord onthouden heeft.

'Ik heb er wel zin in,' zegt Karel Krakeling. 'En Keffie? Die kan ik niet alleen thuislaten.'

'In mijn auto is plaats genoeg,' zegt oma Krullenbol. 'Keffie mag wel bij een van de kinderen op schoot zitten.'

Eline en Joost gaan naar huis om zich aan te kleden en Karel Krakeling gaat zijn zwembroek zoeken.

'Ik heb geen badpak,' zegt oma Krullenbol. Ze kijkt een beetje sip, maar dat zien de anderen niet.

# Kriebelzand en koude golven

Frank en Inge, de ouders van Eline en Julian, rijden voorop. Julian zit met Beer in zijn stoeltje bij hen achter in de auto.

Eline en Joost zitten in het oude rammelbusje van oma Krullenbol op de achterbank met Keffie tussen hen in.

Karel Krakeling zit naast oma Krullenbol.

'Weet je de weg?' vraagt hij bezorgd.

'Ik rij gewoon achter Frank aan,' zegt ze. 'Dan komen we er vanzelf.'

Karel Krakeling geeft oma Krullenbol toch aanwijzingen.

'Hier moet je links en nu moet je rechts. Pas op voor die fietser! Het stoplicht staat op rood. Nu is het groen, geef maar gas.'

Eline en Joost zien dat oma Krullenbols gezicht rood aanloopt en haar krullen plakken vochtig op haar voorhoofd.

'Karel,' zegt ze. 'Ik zie heus wel wanneer Frank de hoek omgaat en stopt voor het rode licht!'

'Ja ja,' zegt Karel. 'Ik wilde je alleen maar helpen.'

'Dat hoeft niet,' zegt oma Krullenbol. 'Je maakt me zenuwachtig.'

Eline en Joost kijken elkaar aan.

'Hebben ze ruzie?' fluistert Eline.

Joost schudt zijn hoofd. 'Dat hoort erbij als je verliefd bent,' fluistert hij. 'Als mijn moeder autorijdt, doet mijn vader soms ook zo. Dan krijgt hij altijd op zijn kop en daarna een zoen en dan is het over.'

Hij heeft gelijk. Even later lachen oma Krullenbol en Karel Krakeling weer en ze zingen vrolijke liedjes. Voor ze het weten zijn ze bij de zee. Ze parkeren de auto, nemen de zwemspullen mee en zoeken een plekje op het strand. Het is nog niet druk. Ze trekken hun zwemspullen aan: Eline haar roze bikini, Joost zijn piratenbroek en Julian zijn broek met dolfijnen. Hun ouders en Karel Krakeling hoeven alleen hun T-shirt en spijkerbroek maar uit te trekken. Ze hadden hun badpak thuis al aangetrokken.

Oma Krullenbol gaat in het zand zitten.

'Hebt u uw zwempak niet meegenomen?' vraagt Joost verbaasd.

'Nee, nee,' zegt oma Krullenbol. 'De zee lijkt me zo koud, daar houd ik niet van.'

'Maar u hebt toch wel een badpak?' dringt Eline aan.

'Nou, om eerlijk te zijn, nee,' zegt oma Krullenbol. 'Ik heb geen badpak, maar dat geeft niet, want ik ga toch niet zwemmen.'

'Zullen we een zandkasteel maken?' vraagt Joost en hij begint meteen te graven.

Eline en haar vader helpen mee. Eerst maken ze een grote berg, die maakt Eline met haar handen mooi glad, dat is het kasteel en daaromheen scheppen ze een slotgracht.

'Jammer dat we de ridders van mijn legokasteel niet hebben meegenomen,' zegt Joost.

'Die raak je in het zand kwijt,' zegt de vader van Eline, 'en dat zou jammer zijn. Zoek maar grote schelpen, dan tekenen we daar gezichtjes op en dat zijn dan de ridders.'

Julian speelt met een emmertje en schepje en hij bakt samen met zijn moeder zandtaartjes van vormpjes.

'Mooi, Julian,' zegt Eline. 'Maak maar een kring van taartjes rond de slotgracht.'

Oma Krullenbol en Karel Krakeling liggen naast elkaar op een handdoek in de zon. Als het kasteel af is komen ze kijken.

'Prachtig!' zegt Karel Krakeling. Zelfs zijn hondje Keffie blaft enthousiast.

'Heel mooi,' zegt oma Krullenbol bewonderend. Van de zon krijgt ze allemaal sproeten op haar wangen en neus. Het staat grappig!

Eline en Joost merken dat Karel Krakeling het ook leuk vindt. Hij kijkt heel verliefd naar oma Krullenbol.

'Zullen we pootje gaan baden?' stelt Eline voor. 'Het is zo warm.'

'Dat is goed,' zegt papa. 'Dan leer ik jullie alvast een beetje zwemmen.'

'Ik wil wel,' zegt Joost, 'maar alleen als oma Krullenbol en meneer Krakeling ook meegaan.'

'Ik pas wel op de spullen,' zegt oma Krullenbol, maar Karel Krakeling trekt haar overeind.

'Kom, Elisabeth! Het water is vast lekker,' zegt hij. 'Je ziet er zo rood en bezweet uit. Je kunt in ieder geval pootjebaden, al heb je geen badpak.'

Eline en Joost rennen met de vader van Eline naar de zee. Julian pakt zijn moeders hand. Hij vindt het een beetje griezelig. De zee is groot en de golven ploffen op het strand. Ze lijken zo groot als hijzelf. Hij gelooft nog steeds dat hij met zijn dolfijnenzwembroek meteen kan zwemmen, maar het is fijn als mama in de buurt blijft.

Oma Krullenbol en Karel Krakeling lopen achteraan. Karel Krakeling duikt meteen in de golven en Keffie zwemt achter hem aan.

'O, kijk eens,' roept Eline. 'Keffie kan zwemmen!'

De vader van Eline blaast vleugeltjes op en doet die om de armen van de kinderen. Dan doet hij de schoolslag voor.

'Intrekken, spreid, sluit,' roept hij steeds, terwijl hij in het water plonst. 'Zo gaat de beenslag en let op mijn armen, die moet je zo bewegen.'

Eline en Joost staan tot hun knieën in het water. Ze buigen zich voorover en doen de bewegingen met hun armen na. Maar ze blijven wel staan. Het zand kriebelt tussen hun tenen.

'Ik zwem alleen met mijn armen,' zegt Eline. 'Durf jij al te drijven? Dat kun je toch met je piratenbroek?' vraagt ze aan Joost.

'Tuurlijk,' zegt hij, 'maar het moet eerst goed gaan met mijn armen, dan pas doe ik de beenslag erbij.' Hij maait met zijn armen door het water en kijkt er heel serieus bij.

'Ik kan het al, ik kan het al,' roept hij na een tijdje.

'Ik ook, hoor,' zegt Eline. 'Zwemmen is niet moeilijk.'

Het haar van Joost is nat door zijn gespetter. Bij Eline zijn alleen de punten van haar staartjes nat. Haar gezicht is nog droog. Ze spettert ook niet zo wild als Joost.

De vader van Eline en meneer Krakeling doen wie het snelst kan zwemmen. Papa wint. 'Geen kunst, hoor,' zegt Karel Krakeling. 'Jij bent jonger, dan kun je het vlugger.'

'Wij zijn nog jonger,' schept Joost op. 'Dus wij kunnen nóg vlugger.' Hij probeert de beenslag, maar hij gaat kopje-onder en komt proestend boven.

'Ik had mijn mond onder water open,' zegt hij als hij uitgehoest is. 'De zee smaakt zout, moet je eens proeven.'

'Ikke niet,' zegt Eline. 'Als de zee naar aardbeiensnoepjes smaakt, dan zou ik het wel proberen, maar niet als-ie zout is.'

Julian loopt met zijn moeder langs de vloedlijn. Als er een golf omklapt, stroomt het zeewater over zijn teentjes. 'Ik zwem, mama,' zegt hij trots. Zijn moeder lacht en raapt een mooie schelp voor hem op.

Oma Krullenbol kijkt naar het geplons van de anderen.

'Kom er ook even in, Elisabeth,' roept Karel Krakeling, maar oma Krullenbol schudt haar hoofd en doet zelfs een stapje achteruit.

Karel Krakeling komt het water uit en loopt naar haar toe.

'Alleen met je tenen,' zegt hij, terwijl hij haar hand pakt. 'Doe je rok een beetje omhoog, dan wordt-ie niet nat. Het water is echt heerlijk.'

Aarzelend stapt oma Krullenbol in zee. Eerst stroomt het water over haar voeten, dan staat het al tot haar kuiten. Ze trekt gauw haar rok nóg hoger.

'Nou, is het lekker of niet?' vraagt Karel Krakeling.

'Een beetje koud,' bibbert oma Krullenbol.

'Welnee! Het is juist heerlijk. Je moet even wennen.'

Oma Krullenbol durft steeds verder in zee. Het water komt

zelfs tot haar knieën. Julian zwaait met een schepnetje en hij roept dat hij vissen gaat vangen. Oma Krullenbol draait zich om en kijkt naar hem. En dan komt er ineens een hoge golf! Oma Krullenbol merkt het niet en ze geeft een gilletje van schrik als de golf tegen haar aan spoelt.

'Help, help!' roept ze. 'Ik kan niet zwemmen. Ik ben bang voor water. Ik vind het ook veel te koud. Help, help!' Zo vlug ze kan, rent ze naar het strand. Druipnat staat ze op de kant. Arme oma Krullenbol!

De moeder van Eline loopt gauw naar haar toe en slaat een grote badhanddoek om haar heen. Ze verdwijnt er helemaal in.

'Kunt u echt niet zwemmen, oma Krullenbol?' vraagt Eline.

'Vroeger toen ik klein was en in het circus woonde, trokken we steeds naar een andere stad. Daardoor kon ik niet op zwemles. Ik heb het nooit geleerd,' antwoordt ze, terwijl ze op het strand gaat zitten en naar de golven staart.

'Ik vind de zee ook een beetje eng,' zegt Julian. Hij geeft oma Krullenbol een kusje boven op haar neus. Ze moeten er allemaal om lachen, zelfs oma Krullenbol kijkt weer vrolijk.

'Joost en ik kunnen het ook nog niet,' troost Eline haar.

'Ik trakteer op een ijsje,' zegt Karel Krakeling. 'Ik vind het flink dat Elisabeth toch tot aan haar knieën in zee durfde.'

En daar zijn ze het allemaal mee eens!

# De eerste zwemles van Eline en Joost

Eline staat bij de auto met haar nieuwe badtas. Daar zit haar roze bikini in en een badhanddoek met schelpen erop. Haar moeder komt eraan met Julian aan de hand. Hij moppert een beetje. 'Ik wil ook zwemmen,' zegt hij. Zijn moeder doet net of ze niets hoort. Ze heeft hem al drie keer verteld dat hij nog veel te klein is.

'Waar is Joost?' vraagt ze aan Eline.

'Ik ga hem halen,' zegt Eline en ze loopt vlug naar het huis van Joost en tikt tegen het raam van de huiskamer.

De moeder van Joost doet de voordeur open.

'Waar is Joost?' vraagt Eline. 'We moeten opschieten, anders komen we nog te laat op zwemles.'

'Ik moet nog even wat spullen pakken. Ik dacht dat Joost al in de auto zat,' zegt zijn moeder.

Maar Eline schudt haar hoofd. 'Hij is er niet.'

'Waar kan hij dan zijn?' vraagt de moeder van Joost. 'Ik ga even kijken of hij nog binnen is. Ik snap er niks van.'

Eline rent achter haar aan.

'Joost, waar ben je?' roept Eline in de gang. 'We moeten naar zwemles.'

Maar Joost is er niet. Hij is niet in de huiskamer, niet in de tuin, niet in zijn slaapkamer.

'Waar zit die jongen toch?' vraagt de moeder van Joost zich af en ze rent vlug naar zolder om te kijken of hij zich daar soms verstopt heeft.

Eline wacht beneden. Ze moet nodig een plas. Thuis is ze ook al geweest. Maar als iets spannend is, gebeurt dat vaker. Ze doet de deur van de wc open en daar zit Joost! Hij heeft het deksel van de wc naar beneden gedaan en zit erop. Zijn badtas klemt hij stevig tegen zich aan. Hij schrikt als Eline voor hem staat en legt zijn vinger op zijn mond.

'Sst!' fluistert hij.

'Waarom zit je op de wc?' fluistert Eline.

'Ik wil niet naar zwemles,' zegt Joost. 'Ik vind het eng.'

'Het is juist leuk,' zegt Eline. 'We gaan toch samen!'

De moeder van Joost komt de trap af gerend.

'O, zit je daar,' zegt ze verbaasd. 'Kom, joh. We moeten weg.'

'Ik durf niet,' zegt Joost en hij kijkt alsof hij wil gaan huilen.

'Ik begrijp best dat je het eng vindt, maar je zult zien dat het meevalt,' zegt zijn moeder. Ze tilt Joost van de wc en knuffelt hem even. 'Papa en mama hebben vroeger ook op zwemles gezeten. Wij waren in het begin ook een beetje bang. Maar dat was heel snel over.'

Hand in hand lopen Joost en zijn moeder naar de auto. Eline doet nog gauw een plas en dan rent ze hen achterna.

'Gordels om,' zegt de moeder van Eline en dan rijden ze weg. Op de achterbank is het stil, heel stil. Joost zegt niks, Eline zegt niks, alleen Julian praat tegen Beer.

Als ze bij het zwembad aankomen, gaan ze vlug naar binnen. Er zijn nog meer kinderen. Lizette en Jordy uit hun klas zijn er ook.

De moeders gaan langs de kant van het zwembad op banken zitten. Julian mag, terwijl zijn moeder hem goed vasthoudt, even met zijn handje in het water voelen. Dan kruipt hij snel bij haar op schoot. Hij kijkt met grote ogen rond. Wat klinkt het hier gek en wat is het hier groot!

Er zijn twee zwemjuffen, Astrid en Carla. Alle kinderen moeten langs de rand van het zwembad gaan staan. Ze krijgen drijfkurken om en ook een platte gekleurde band om iedere arm.

'Die ronde dingen om jullie armen noemen we pannenkoeken,' zegt juf Astrid. 'Nu blijven jullie drijven.'

'Geloof jij het?' fluistert Joost in Elines oor.

'Ik weet het niet,' zegt ze. Ze bibbert een beetje. Misschien is het water wel koud. Ze moet alweer naar de wc.

'Juf, ik moet zo nodig,' zegt Eline en ze springt heen en weer, want ze kan het bijna niet ophouden.

Juf Astrid helpt haar met het afdoen van de zwemband en de twee pannenkoeken.

'Ga maar gauw,' zegt ze. 'We wachten wel even op je.'

Eline is snel terug. Ineens moeten er meer kinderen naar de wc. De juffen moeten er een beetje om lachen en de moeders langs de kant ook. Als alle kinderen geplast hebben en weer met hun bandjes om aan de rand van het zwembad staan, kan de les eindelijk beginnen.

Juf Astrid staat in het water en spreidt haar armen uit, alsof ze alle kinderen op wil vangen. 'Spring er maar in,' zegt ze. Twee jongetjes springen meteen, dan volgt Lizette.

Eline pakt Joosts hand. 'Zullen we samen?' vraagt ze. 'Dat is minder eng.'

Dat vindt Joost een goed idee. Ze knijpen alle twee hun neus dicht en plonsen in het zwembad.

'We drijven!' roept Eline blij.

'We gingen niet eens kopje-onder,' zegt Joost en hij slaat met zijn armen op het water, zodat de spetters in het rond vliegen.

'Ik kan bij de bodem,' zegt Eline.

'Ik ook,' zegt Joost.

Ze zuchten alle twee opgelucht. Hand in hand lopen ze vrolijk naar de andere kant van het zwembad. Eline maakt zelfs kleine sprongetjes.

'Het lijkt net of je in het water lichter bent,' zegt ze.

'Dat komt door de bandjes,' zegt juf Astrid. 'Die tillen je een beetje op.'

Alle kinderen moeten elkaars hand pakken en dan spelen ze *Schipper mag ik overvaren* en *Jan Huygen in de ton*. Vooral het laatste spelletje is spannend. Ze moeten elkaar loslaten en achterovervallen. Een paar kinderen krijgen water in hun gezicht en hoesten en proesten. Een meisje begint te huilen, maar juf Carla is snel bij haar om te troosten. Een jongen is heel verbaasd dat hij zelfs op zijn rug blijft drijven.

Daarna legt juf Astrid gekleurde plankjes op de kant. Rode, gele en blauwe.

'Pak er maar een,' zegt ze. 'Dan blijven jullie nog beter drijven.'

Joost kiest een geel plankje en Eline een rode.

'Ga maar op je buik in het water liggen, houd het plankje vast en strek je armen,' zegt juf Carla.

Eline probeert het, maar ze vindt het toch een beetje eng.

'Ik blijf liever staan,' zegt ze.

'Ik ook,' zegt Joost. 'Ik kan niet op mijn buik drijven.'

Dan komt juf Astrid een handje helpen. Ze trekt Eline aan het plankje naar de andere kant van het zwembad en Eline blijft vanzelf drijven. Ze beweegt zelfs haar benen heen en weer, net zoals een eendje in het water. 'Ik kan het!' roept ze. 'Ik kan het!'

'Nu zelf proberen,' zegt de juf en ze loopt naar Joost om hem ook naar de overkant te helpen.

Maar alleen durft Eline niet te drijven. Even later staat ze met Joost bij de trap. Als ze die vasthouden, durven ze hun benen wél op te trekken.

'Spannend, hè?' zegt Eline. 'We blijven écht drijven!' Maar ze houdt voor de zekerheid de leuning van de trap goed vast.

'Het is al bijna tijd,' zegt juf Astrid. 'Over vijf minuten komt de volgende groep. We gaan eens even kijken wie van jullie met zijn hoofd onder water durft.'

Alle kinderen gaan langs de kant op een rij in het water staan, zodat de juffen hen goed kunnen zien.

'Nu eerst inademen, dan je mond in het water doen en belletjes blazen,' zegt juf Carla en ze doet voor hoe het moet.

'Denk erom,' zegt juf Astrid, 'kinderen kunnen onder water niet ademhalen. Dus eerst goed inademen, dan je adem inhouden, of onder water langzaam uitblazen.'

Eline en Joost proberen het. Het gaat goed.

'Nu ook je neus onder water,' zegt juf Astrid. Dat lukt de meeste kinderen ook.

'En nu je hele hoofd onder water,' zegt juf Carla en ze duikt onder en raakt zelfs met haar hand de bodem van het zwembad aan.

Eline probeert het. Ze knijpt haar ogen dicht, zakt een eindje door haar knieën en hoort rare klotsgeluidjes in haar oren. Ze gaat gauw weer rechtop staan. Haar staartjes zijn nog droog en ook het haar van Joost is droog.

'Ik wil niet kopje-onder,' zeggen ze tegelijkertijd.

'Dat is goed, hoor,' zegt juf Astrid. 'Ga maar gauw douchen en je aankleden.'

Onder de douche hebben Eline en Joost veel praatjes.

'Het was leuk!' zegt Eline.

'En spannend!' vindt Joost.

# Een badpak voor oma Krullenbol

Als ze thuiskomen, hollen Eline en Joost meteen naar oma Krullenbol om te vertellen hoe de eerste zwemles was. Julian loopt zoals altijd achter hen aan met Beer.

'Het was spannend!' roept Joost. 'We kregen kurken om.'

'En om iedere arm een gekleurde pannenkoek,' zegt Eline. 'Dan blijf je drijven!'

'En we zijn al met onze neus onder water geweest!'

'Ik durf al met mijn oren en dan hoor je grappige geluidjes,' zegt Eline.

Ze praten alle twee tegelijk. Oma Krullenbol moet erom lachen.

'Ik merk het al,' zegt ze. 'Jullie kijken al uit naar de volgende zwemles.'

'Jammer dat u niet kunt zwemmen,' zegt Joost, 'want als wij het kunnen, gaan we in de zomer vaak naar de zee.'

'Waarom gaat u ook niet op zwemles?' vraagt Eline. 'Dan kunt u ook mee.'

'Ja, oma Krullenbol. U moet leren zwemmen!' roept Joost. 'Zal ik aan de zwemjuf vragen of u nog bij ons groepje kunt?'

'Ik weet het niet,' zegt oma Krullenbol. 'Het lijkt me zo koud en ook eng als je met je hoofd onder water moet.'

'Het water is lekker warm,' zegt Eline, 'en als je niet durft hoef je niet van de zwemjuf.'

Oma Krullenbol sputtert nog wat tegen, maar Joost rent al naar de deur. 'Kom, Eline,' roept hij. 'We gaan de zwemjuf bellen.'

Julian kruipt bij oma Krullenbol op schoot. 'U hoeft niet op zwemmen, hoor, oma Krullenbol,' zegt hij. 'Julian kan het ook niet.'

Oma Krullenbol trekt hem naar zich toe en knuffelt hem.

'Beer wil ook een kusje,' zegt hij en hij duwt zijn knuffelbeest tegen haar gezicht. Ze geeft Beer natuurlijk ook een kusje.

'Beer kan ook niet op zwemles, hè?' vraagt Julian.

'Nee,' zegt oma Krullenbol. 'Dan wordt hij kletsnat en een natte beer is niet een-twee-drie droog.'

'Ik kan ook tellen,' zegt Julian en hij wijst zijn vingertjes aan. 'Een, twee, vijf, tien!'

Hij kijkt trots naar oma Krullenbol.

'Bijna goed!' zegt ze lachend.

Eline en Joost komen alweer terug.

'Het mag!' roept Eline. 'Juf Astrid zei dat er in een zwemgroep altijd tien kinderen zitten en wij hebben er maar negen. Dus er kan er nog één bij!'

'Maar dat kan toch niet,' zegt oma Krullenbol. 'Ik ben geen kind meer.'

'De juf vroeg of u kon zwemmen en toen heb ik nee gezegd,' legt Joost uit, 'en toen zei ze dat u maar gauw moest komen.'

'Oma Krullenbol gaat ook op zwemles!' juicht Eline.

'Ik heb geen badpak!' protesteert oma Krullenbol.

'Dan gaan we er eentje kopen. Ik zal vragen of mama zin heeft om mee te gaan.' En weg is Eline weer.

Oma Krullenbol schudt haar hoofd als Eline nog geen minuutje later met haar moeder terugkomt.

'Wat heb ik gehoord, Elisabeth?' zegt ze. 'Ga je ook op zwemles en moet ik mee om een badpak te kopen?'

'De kinderen hebben alles al geregeld, geloof ik,' zegt oma Krullenbol. 'Ik kan er echt niet meer onderuit. Als je tijd hebt, dan gaan we maar meteen.'

Even later zitten ze in de auto op weg naar de stad. De moeder van Eline weet een winkel waar ze mooie badpakken verkopen. Daar rijdt ze naartoe.

Eline, Joost en Julian zitten op de achterbank. Ze zeggen niet veel. Ze zijn een beetje moe van het zwemmen en nu gaan ze ook nog naar de stad.

'Het is fijn dat u ook op zwemles gaat, oma Krullenbol,' zegt Eline.

'Ik hoop dat ik nog kan leren zwemmen. Ik heb stijve spieren en mijn botten kraken als ik lang stilgezeten heb.'

'Natuurlijk kun je leren zwemmen,' zegt mama. 'Je wordt er leniger van en het warme water van het zwembad is heerlijk. En als we naar de zee gaan, hoef je niet bang te zijn voor hoge golven.'

De moeder van Eline parkeert de auto voor de winkel en gooit wat muntjes in de automaat. Dan gaan ze naar binnen. Een belletje klingelt hard.

'Wat kan ik voor u doen?' vraagt de mevrouw van de zwemklerenwinkel.

'Oma Krullenbol wil graag een badpak kopen!' roepen Eline en Joost tegelijk. 'Ze gaat op zwemles!'

De winkelmevrouw haalt een donkerblauw badpak uit het rek, maar dat vindt oma Krullenbol te saai.

'Hebt u er niet een in een leuke kleur?' vraagt ze.

'En met dolfijnen erop of zo?' vraagt Eline.

Even later gaat oma Krullenbol met een paar badpakken het pashokje in. Na vijf minuten geeft ze ze allemaal terug.

'Ik moet een maatje groter,' zegt ze. 'Ze zitten veel te strak. Ik voel me net een haring in een tonnetje.'

Mama zoekt bij een grotere maat en brengt de badpakken naar oma Krullenbol.

'Die rode vind ik het mooist,' zegt Eline.

Als oma Krullenbol het rode badpak aanheeft, schuift ze het gordijn van het pashokje open.

'Ik geloof dat deze kleur me niet staat,' zegt ze, terwijl ze naar buiten stapt en een rondje voor de spiegel draait.

'Het kleurt niet mooi bij rood haar,' zegt de moeder van Eline.

Terwijl oma Krullenbol een ander badpak aantrekt, snuffelt mama tussen het rek. Ze houdt een groen badpak omhoog met blauwe stippels. 'Hoe vind je die?' vraagt ze aan Eline.

'Mooi!' zegt Eline.

'Dan is oma Krullenbol net een lieveheersbeestje,' zegt Joost.

'Sst,' zegt Eline. 'Zeg dat niet, anders wil ze het misschien niet eens passen.'

Maar oma Krullenbol vindt het badpak prachtig.

'Deze wordt het!' zegt ze.

Ze betaalt en blij loopt ze de winkel uit.

'Het is een goed idee van jullie om mij mee te nemen naar zwemles,' zegt ze tevreden.

# Oefenen in drijven

'Over een week hebben we pas weer zwemles,' zegt Eline. 'Ik wil best iedere dag.'

'Ik niet,' zegt Joost. 'Eén keer in de week zwemmen en af en toe zondagmorgen is genoeg.'

Ze zitten in de tuin van oma Krullenbol in een tent die ze van een oud tafellaken gemaakt hebben. De koeien en schapen in de wei van boer Bart komen nieuwsgierig dichterbij. Ze gluren door het hek heen naar Eline en Julian.

Julian plukt gras en voert de dieren.

'Ze vinden het gras van oma Krullenbol lekkerder dan het gras in hun weiland,' zegt Joost lachend. 'Lange grassprieten plukken, Julian, anders bijten ze in je vingers,' waarschuwt Eline haar broertje.

'Ik ben niet bang,' zegt Julian, maar hij gaat toch een stapje achteruit.

'Zou oma Krullenbol in het zwembad blijven drijven?' vraagt Joost.

'Tuurlijk!' zegt Eline. 'Als wij het kunnen, kan oma Krullenbol het ook.'

'Ze is dikker, misschien zakt zij wel naar de bodem.'

'Ze moet ook drijfkurken om. Het gaat vast goed.'

Daar komt Karel Krakeling met Keffie de tuin in. Hij gaat naast oma Krullenbol op de bloemetjesbank zitten.

'Ik kwam Elines moeder tegen en wat heb ik gehoord, Elisabeth?' vraagt hij. 'Ga je op zwemles?'

Oma Krullenbol bijt op haar lip. 'Ik heb er alweer een beetje spijt van. Het lijkt me zo moeilijk om het te leren. Ik ben geen twintig meer.'

'Ach, het maakt niet uit hoe oud je bent. Iedereen kan leren zwemmen en je hoeft heus niet aan wedstrijden mee te doen. Als je jezelf maar kunt redden als je in het water valt, daar gaat het om.'

'Ja, ja,' moppert oma Krullenbol. 'Jij hebt makkelijk praten. Jij kunt goed zwemmen. Ik durf nog niet eens kopje-onder en dat moet, dat hebben Eline en Joost me verteld.'

'Niet op de eerste les, hoor, oma Krullenbol,' troost Eline haar.

'Maar je moet wel meteen proberen te drijven,' zegt Joost.

'Nou, daar heb je het al,' zegt oma Krullenbol zuchtend. 'Dat wordt niets.'

'U kunt toch in bad oefenen,' zegt Eline.

'Ik heb alleen een douche,' zegt oma Krullenbol, 'dus dat gaat niet.'

Ineens springt Karel Krakeling op.

'Let even op Keffie, Elisabeth. Ik heb op zolder nog iets dat je zeker kunt gebruiken! Eline en Joost, willen jullie me even helpen?'

'Ik ga ook mee,' zegt Julian.

'Nee, Julian,' zegt Karel Krakeling. 'We moeten iets naar beneden sjouwen en dan loop je in de weg.'

'Julian, wil jij bloemen voor mij plukken? Dan zet ik die in een vaasje,' vraagt oma Krullenbol.

'Ook bloemen voor mama?' vraagt Julian.

'Ja hoor, maak er maar een mooie bos van!' Julian begint meteen met de paardenbloemen, die vindt hij het mooist.

Eline en Joost lopen met Karel Krakeling naar zijn huis en ze stommelen achter hem aan naar de zolder. Het is er schemerdonker en er ligt veel oude troep. Versleten stoelen, een oude timmerdoos met verroest gereedschap, een autoband en wel tien dozen die in een hoek van de zolder schots en scheef naast elkaar staan.

'In een van die dozen moet het zitten,' zegt Karel Krakeling.

'Wat?' vraagt Eline nieuwsgierig.

'Verrassing!' antwoordt Karel Krakeling.

Hij opent een paar dozen, rommelt erin en zet ze opzij.

Om de grootste zit een touw.

'Ik heb hem! Kom, deze moet naar beneden.'

Karel Krakeling probeert de doos op te tillen, maar die is zwaar. 'Pfft, ik wist niet meer dat dat zwembad zo zwaar was.'

'Een zwembad!' roepen Eline en Joost tegelijk. 'Zit er een zwembad in die doos?'

'Ach, wat dom, nou heb ik het toch verklapt,' zegt Karel Krakeling.

'Is het groot?' vraagt Joost.

'Ja, hoor. We kunnen er met zijn allen met gemak in en de tuin van oma Krullenbol is groot genoeg.'

Karel Krakeling sleept de doos over de zoldervloer. Bij de trap blijft hij staan en hij krabbelt nadenkend op zijn voorhoofd.

'Als jullie nou het touw vasthouden, dan ga ik op de trap staan en hou de doos tegen. Dan laten we hem langzaam naar beneden glijden.'

Het lukt! Het is een zwaar karwei, maar met zijn drietjes slepen ze de doos naar buiten.

'Wat zit daar nou in?' vraagt oma Krullenbol verbaasd.

'Verrassing!' roepen Joost, Eline en Karel Krakeling tegelijk.

Karel Krakeling zet de doos op zijn kant en dan rolt er een groot lichtblauw pakket uit. Oma Krullenbol en Julian komen nieuwsgierig dichterbij. Keffie snuffelt eraan en begint te blaffen.

Voorzichtig vouwt Karel Krakeling het pakket open, midden op het grasveld van oma Krullenbol. Hij pakt een voetpomp die ook in de doos zit en begint het blauwe pakket op te blazen. Het wordt groter en dikker en Keffie gaat steeds harder blaffen en grommen.

'Keffie denkt dat het een griezelig monster is,' zegt Eline.

'Je kunt al zien dat het een zwembad is,' zegt Joost. Hij slaat zijn hand voor zijn mond. Nou heeft-ie het toch verklapt. Maar het geeft niet, want oma Krullenbol heeft het allang door.

'Mooi,' zegt ze, 'nou kunnen we lekker pootjebaden als het warm is.'

'Nee, we gaan oefenen in drijven en in kopje-onder gaan,' zegt Karel Krakeling.

Als hij eindelijk klaar is met het oppompen van het zwembad, gaan ze er allemaal omheen staan. Het is groot, maar het past precies tussen de appelboom en het hek naar het weiland van boer Bart.

Eline en Joost kunnen makkelijk over de rand kijken. Julian prikt met zijn vingertje tegen het blauwe plastic.

'Ik zie niks,' zegt hij. 'Ik wil er ook in kijken.'

Eline tilt haar broertje op. Hij houdt zich met beide handen aan de rand vast.

'Nou kan Julian ook leren zwemmen,' zegt hij tevreden.

'Eerst moet oma Krullenbol leren drijven,' zegt Eline.

'Eerst moet er water in,' zegt Karel Krakeling en hij sluit de tuinslang aan op het kraantje bij de veranda. Gespannen kijken ze allemaal over de rand. Maar wat is het een klein straaltje. Het zal héél heel lang duren, dus gaan ze naar huis.

Als ze 's avonds komen, is het zwembad vol. De wind blaast kleine golfjes in het water.

'Net als de zee,' zegt Julian. Hij heeft een stoel naar de rand gesleept en spettert met zijn handjes in het water.

'Het is een reuzebadkuip,' zegt Eline. 'We kunnen er makkelijk allemaal in.'

# Een kikker in het opblaasbad

Het water in het opblaasbad is koud, nog te koud om in te zwemmen. Maar gelukkig warmt de zon het water langzaam op.

Zaterdagmiddag trekken ze allemaal hun zwemkleren aan. Eline haar roze bikini, Joost en Julian hun zwembroek en oma Krullenbol haar stippeltjesbadpak. Karel Krakeling draagt een oude bermuda. Hij gooit nog een paar emmers heet water in het zwembad en zet een keukentrapje tegen de rand. Oma Krullenbol klautert er voorzichtig op. Op de bovenste trede blijft ze staan. Ze durft zich niet in het water te laten zakken.

'Ik geloof dat ik nog even wacht,' zegt ze en ze wil er alweer vanaf klimmen.

'Ho ho, Elisabeth. Doorzetten!' roept Karel Krakeling. 'Ik help je wel.' Hij neemt een grote sprong en plonst het water.

Oma Krullenbol hapt naar lucht. 'Nou ben ik toch nat,' zegt ze.

'Goed zo,' zegt Karel Krakeling. 'Stap er maar voorzichtig in. Ik hou je wel vast.'

Oma Krakeling aarzelt. Ze haalt diep adem, knijpt haar neus dicht, sluit haar ogen, maar ze durft niet.

'Zal ik u ook vasthouden?' vraagt Joost en hij klimt de trap al op om te helpen. Maar die is smal. Er is eigenlijk geen plaats voor twee. Oma Krullenbol verliest haar evenwicht en valt midden in het zwembad. Ze trekt een benauwd gezicht en houdt Karel Krakeling stevig vast.

'Ik heb niet geduwd hoor,' zegt Joost als ze uitgehoest is en in haar ogen wrijft.

'Dat weet ik,' zegt ze. 'Het ging per ongeluk, maar nu ben ik er meteen door. Het water is heerlijk. Komen jullie er ook maar bij.'

Joost springt in het zwembad. Het water komt tot zijn middel.

'Kom, Eline,' roept hij. 'Ik kan makkelijk bij de bodem.'

Eline doet Julian een zwembandje om en daarna zet ze hem op de trap. Karel Krakeling pakt het jongetje aan. Julian kan niet met zijn voetjes bij de bodem, maar met het bandje om blijft hij drijven. Als Eline ook in het zwembad is, doet Julian voor hoe goed hij al kan zwemmen. Hij zwaait met zijn armen alsof het molenwieken zijn.

'Zal ik mijn neus onder water houden?' vraagt Eline.

'Laat maar eens zien,' zegt oma Krullenbol en ze let goed op hoe het moet.

Eerst doet Eline haar mond onder water. Ze blaast belletjes die vrolijk naar de oppervlakte dansen. Daarna steekt ze haar neus in het water en gaat ze zelfs helemaal kopje-onder.

'Goed zo,' zegt Karel Krakeling. 'Nou jij, Elisabeth. Het is echt niet moeilijk.'

Oma Krullenbol knijpt haar neus dicht, haalt diep adem en dan duikt ze in één keer onder. Ze is wel erg vlug weer boven, maar het is gelukt. Ze kijkt heel trots. 'Nou, hoe vinden jullie dat? Ik heb het gedaan!'

Ze klappen allemaal en Julian slaat enthousiast op het water.

'Nu oefenen in drijven,' zegt Karel Krakeling. Oma Krullenbol

buigt zich voorover, zodat het net lijkt alsof ze drijft, maar ze blijft met haar benen op de bodem van het zwembadje staan en ze gilt als ze haar evenwicht dreigt te verliezen.

Eline en Joost hebben geen bandjes en het lukt hen ook niet. Maar Joost is slim. Hij houdt met beide handen de rand van het zwembad vast en gaat eraan hangen. Zijn benen gaan vanzelf drijven.

'Kijk mij, kijk mij,' roept hij trots. 'Ik kan het! Ik kan het!'

Eline en Julian proberen het ook. Het lukt! Zelfs oma Krullenbol kan het!

Ze oefenen de hele middag en ze durven steeds meer, zelfs oma Krullenbol vergeet te gillen als ze onverwachts kopje-onder gaat.

Karel Krakeling bedenkt een spel. In de tuin heeft hij een grote kiezelsteen gevonden. Die gooit hij in het zwembad. De steen zinkt naar de bodem, dan tellen ze tot drie en moeten ze de kiezelsteen pakken. Wie hem het eerst pakt heeft gewonnen.

De eerste keren wint Eline. Zij is het vlugst, zelfs vlugger dan Karel Krakeling. Dan wint Joost een paar keer.

'Nu jij, Elisabeth,' zegt Karel Krakeling. 'Het is heus niet moelijk!'

Oma Krullenbol hapt naar lucht en met bolle wangen duikt ze onder, maar Joost en Eline duiken ook naar de bodem. Ze graaien alle drie naar de kiezelsteen, maar botsen met hun hoofden tegen elkaar.

'Au!' zegt Eline als ze weer bovenkomt. 'Ik heb een bult op mijn hoofd.'

'Au!' zegt Joost. 'Ik heb een bobbel op mijn kop.'

'Au!' zegt oma Krullenbol. 'En ik heb, geloof ik, een deuk.'

Ze wrijven over de bult, de bobbel en de deuk en moeten hard lachen. Dan duikt Karel Krakeling snel naar de bodem, pakt de kiezelsteen en stopt hem in Julians hand.

'Ik heb gewonnen!' roept Julian trots. 'Ik heb gewonnen en ik heb geeneens een bobbel op mijn hoofd.'

Ze spelen nog een tijdje in het water, maar dan steekt de wind op en wordt het frisser. Net als ze eruit willen gaan, springt er een grote groene kikker in het zwembad. Hij zwemt een paar rondjes onder water en rust dan uit op de schouder van Karel Krakeling.

'Wat een lange poten heeft-ie,' zegt Eline. Ze is blij dat hij niet op haar schouder zit. Ze vindt het toch wel een beetje griezelig.

'Wat is hij dik,' zegt Joost. 'Misschien zit hij vol met kleine kikkertjes.'

'Nee, joh,' zegt Eline. 'Kikkers leggen eitjes, dat heet kikkerdril en daar komen kikkervisjes uit en die veranderen langzaam in een kikker.'

Oma Krullenbol bekijkt de kikker. Hij heeft blazen aan de zijkant van zijn kop die groter en kleiner worden als hij in- en uitademt.

'Het is een mooi diertje,' zegt ze. 'Maar ik heb liever niet dat ze

in ons zwembad eitjes legt, want dan heb ik straks een paar honderd kikkers in de tuin en die houden me 's nachts wakker met hun gekwaak.'

Ze pakt de kikker voorzichtig van de schouder van Karel Krakeling.

'We brengen hem naar de sloot bij het weiland van boer Bart,' zegt ze.

De kikker begint van blijdschap hard te kwaken. Zo hard, dat Joost, Eline en Julian er zelfs een beetje van schrikken.

'Dat bedoel ik nou,' zegt oma Krullenbol. 'Als één kikker al zoveel kabaal maakt, wat denk je dan van een paar honderd kikkers!'

# De held van het zwembad

Het is woensdagmiddag. Eline en Joost gaan weer naar zwemles.
Deze keer gaat oma Krullenbol mee. Ze is een beetje zenuwachtig.

'Rekent de zwemjuf erop dat ik kom?' vraagt ze. 'Ik kan ook nog een weekje wachten.'

'Nee, oma Krullenbol,' zegt Joost beslist. 'U moet echt mee, want anders raakt u achter bij de groep en u hebt de eerste zwemles al gemist.'

'Nou, vooruit dan maar,' zegt oma Krullenbol en ze stapt in de auto en gaat naast de moeder van Eline zitten. Ze zucht een paar keer diep en ze rommelt in haar badtas om te kijken of ze echt haar zwempak niet vergeten is. Ze laat een opblaasbare zwemband en een mooie badmuts met bloemen zien.

'Die heb ik gisteren bij de drogist gekocht,' zegt ze, 'dan wordt mijn haar niet nat.'

Ze zet hem op. 'Hoe staat-ie?' vraagt ze.

'Mooi!' zegt Eline.

'Hip!' vindt Joost. 'U lijkt wel een bloementuintje.'

'Ik hou hem maar op,' zegt oma Krullenbol. 'Dan ben ik straks sneller klaar met omkleden.'

Op de achterbank moeten Eline en Joost lachen, zelfs Julian verstopt zijn gezichtje in Beer om het niet uit te schateren. Het is ook zo'n grappig gezicht, oma Krullenbol met haar badmuts op.

In het zwembad kleden ze zich snel om. Eline en Joost nemen oma Krullenbol mee naar de douches.

'We spoelen ons altijd eerst even af, dan zijn we al nat, dan wen je sneller aan het water.'

Oma Krullenbol volgt hun voorbeeld. 'Mm, heerlijk warm,'

zegt ze en ze blijft er lekker lang onder staan. Zo lang, dat Eline haar bij de hand pakt en mee naar de zwemjuf neemt.

Juf Astrid kijkt verbaasd naar oma Krullenbol.

'Ik dacht dat je een vriendinnetje mee zou nemen,' zegt ze tegen Eline. 'Maar dit is een mevrouw!'

'Ja, maar het is oma Krullenbol en ze is in ons laantje onze grootste vriendin.'

'Eigenlijk moet u bij een grote-mensen-zwemgroep,' zegt juf Astrid. 'Maar ik zal even met de hoofdbadmeester overleggen.'

Eline en Joost kijken elkaar bezorgd aan. Stel je voor dat oma Krullenbol niet kan blijven.

'Ik hoop dat het mag,' zegt Eline. 'Ze gaat vast niet bij een andere groep. Ze was juist zo blij dat ze met ons mee mocht.'

Dan komt juf Astrid terug en zegt dat het goed is. Ze klapt in haar handen en roept iedereen bij zich. Ze deelt drijfkurken uit en ook weer de gekleurde pannenkoeken die ze om hun bovenarmen moeten schuiven. Daarna gaan ze naast elkaar op de rand van het zwembad staan.

'Ik heb speciaal een zwemband gekocht,' zegt oma Krullenbol die de band met een rood hoofd aan het opblazen is. 'Mag ik die ook gebruiken?'

'Ja, hoor,' zegt juf Astrid, 'zo blijft u ook drijven.'

Eline en Joost staan elk aan een kant van oma Krullenbol.

'Is het diep?' vraagt ze.

'Nee, hoor,' zegt Eline. 'De bodem is verstelbaar. We kunnen erbij.'

'Gelukkig!' zegt oma Krullenbol en ze zucht diep.

'Spring maar in het water,' zegt juf Astrid. Ze geeft zelf het voorbeeld. 'Juf Carla en ik blijven in de buurt.'

Twee broertjes die sprekend op elkaar lijken springen er het eerst in.

'Goed zo!' roept juf Astrid. Eline durft ook. Ze gaat kopje-onder, maar komt meteen weer boven drijven. Dan is oma Krullenbol aan de beurt.

Ze wrijft bibberend in haar handen en schudt met haar hoofd,
zodat de bloementuin heen en weer wiebelt.

'Wat is het zwembad groot! Veel groter dan het badje in de
tuin. Ik geloof dat ik nog even aan de kant ga zitten,' zegt ze.

'Het is niet koud,' zegt Eline. 'Kom maar, oma Krullenbol. Ik
vang u wel op.'

Maar oma Krullenbol schudt haar hoofd en staart angstig naar
het water. Joost staat naast haar op de rand van het zwembad.
Misschien moet hij haar een piepklein duwtje geven, maar al bij
de eerste les heeft de zwemjuf gezegd dat ze elkaar pas in het water mogen duwen als ze echt kunnen zwemmen.

'Ieder kind leert in zijn eigen tempo zwemmen,' had ze gezegd, 'we doen het kalm aan en we plagen elkaar niet.'

De vaders en moeders die langs de kant zitten, houden altijd gespannen hun kind in de gaten. Maar nu kijken ze allemaal naar oma Krullenbol. Ze staat te bibberen en steekt haar teen in het water.

Iedereen vindt het spannend. Je hoort de mensen bijna denken: zou ze springen of toch niet? Kan zo'n oud mevrouwtje nog wel leren zwemmen?

Ook Julian vindt het spannend. Het is warm in het zwembad. Hij heeft zijn lange broek en shirt uitgetrokken en loopt in zijn hemdje en broekje heen en weer.

'Niet te dicht langs de kant, Julian,' waarschuwt mama. 'Straks val je er nog in.'

Julian loopt nieuwsgierig met Beer in zijn armen naar oma Krullenbol.

De vloer rond het zwembad is glad en als Julian bijna bij oma Krullenbol is, glijdt hij uit. Daar ligt hij languit op de glimmende witte tegels. Maar Beer schiet uit zijn hand en komt met een grote boog in het water. Hij blijft even drijven, maar dan zakt hij naar de bodem van het zwembad. Julian begint te huilen.

'Beer!' roept hij. 'Beer ligt in het water en hij kan niet zwemmen!'

Eline probeert Beer van de bodem te vissen, maar ze kan nog niet lang genoeg kopje-onder blijven. Proestend komt ze boven zonder Beer. De andere kinderen vinden het zielig voor Beer en Julian. Ze proberen ook naar de bodem te duiken, maar ze krijgen de knuffel ook niet te pakken. Net als juf Astrid naar Beer wil duiken, roept oma Krullenbol: 'Uit de weg! Ik kom eraan!' Ze haalt diep adem, knijpt haar neus dicht en springt in het water. Ze laat zich helemaal naar de bodem zakken, pakt Beer en brengt hem veilig naar Julian. Julian drukt zijn kletsnatte vriendje stevig tegen zich aan.

'Gelukkig,' zegt hij. 'Oma Krullenbol heeft Beer gered.'

'Ja!' roept Eline. 'Oma Krullenbol is de held van het zwembad!'

Ze klapt en juicht. Alle kinderen klappen en juichen, zelfs de vaders en moeders die langs de kant zitten doen mee.

Oma Krullenbol maakt in het water een dansje.

'Ik ben niet meer bang,' zegt ze. 'Wie weet hoe lang ik nog op de kant had gestaan als Beer niet in het water was gevallen.'

'Nu gaan we aan het werk,' roept juf Astrid.

Ze oefenen weer in drijven. De zwemjuffen trekken om de beurt de kinderen en ook oma Krullenbol door het water en ze doen de beenslag voor.

'Intrekken, spreid, sluit!' roept juf Astrid steeds.

Eline en Joost proberen het. Het is best moeilijk, maar ze merken dat het drijven steeds beter gaat en als ze hun benen sluiten, schieten ze zelfs al een eindje vooruit met het plankje.

Bijna aan het eind van de les puffen Eline en Joost even uit bij de trap. Ze houden zich aan de leuning vast en laten hun benen drijven.

Oma Krullenbol is nog druk aan het oefenen. Af en toe gaat ze kopje-onder, maar met haar mooie badmuts blijven haar rode krullen gelukkig droog.

# De schoolslag en kikkerdril

44   Al een paar weken oefenen Eline, Joost en oma Krullenbol iedere dag in het zwembad in de tuin. Iedere zondagmorgen gaan ze met de vader van Eline of Joost naar het grote zwembad in de stad en iedere woensdagmiddag gaan ze naar zwemles. Ze hebben zelfs al een keer zonder drijfkurken gezwommen. Na afloop van een van de eerste lessen kregen ze een grote poster.

*Ik doe mee met het zwem ABC* staat erboven.

Het is een vrolijke poster. Er staat een zwembad op en in het midden ligt een groene draak waarop kinderen een noodlanding maken als ze van de glijbaan afroetsjen. Een jongetje vangt met een schepnet een grote vis en Sinterklaas deelt op de kant diploma's uit.

Joost is bij Eline. Ze hebben de poster op tafel gelegd en bekijken hem.

'Grappig, hè?' zegt Joost en hij wijst naar een meisje dat uit het water wil klimmen en zo schrikt van een muisje, dat haar haren rechtovereind gaan staan.

'Zouden we met Sinterklaas ons A-diploma krijgen?' vraagt Eline. 'We hebben al zo veel zwemlessen gehad en het gaat al heel goed.'

Ze hebben van juf Astrid stickers gekregen die ze op de poster moeten plakken, zodat ze precies weten hoe ver ze zijn.

Eline en Joost hebben ieder al drie stickers. *Ik leer nu echt zwemmen* staat op de eerste. *Onder water kijken vind ik leuk* staat op de tweede en op de derde sticker staat: *Ik ben nu al drijfkampioen.*

De bodem van het zwembad is verstelbaar en iedere keer als ze een sticker kregen, ging de bodem wat naar beneden. Nu kunnen ze al lang niet meer met hun voeten bij de bodem.

'We moeten nog wel veel leren,' zegt Joost en hij kijkt naar de lege plekken waar ze nog stickers moeten plakken. 'De school-slag vind ik best moeilijk en we moeten ook nog onder een duik-scherm door zwemmen en de borst- en rugcrawl leren, maar dui-ken lijkt me spannend.'

'Met kleren aan zwemmen lijkt me moeilijk,' zegt Eline. 'Dan wegen we meer en alles plakt aan onze armen en benen.'

'Mijn papa en mama zeggen dat het leren zwemmen snel gaat. We worden kampioen,' zegt Joost. 'Ik heb de poster boven mijn bed gehangen.'

'Dat ga ik ook doen,' zegt Eline en ze stommelt de trap op. Joost loopt achter haar aan met plakband en samen hangen ze de zwemposter boven Elines bed. Hij hangt een beetje scheef, maar dat geeft niet.

'Het staat leuk,' vindt Eline. 'Ik ga goed mijn best doen, dan heb ik de andere stickers ook snel.'

'Zullen we even naar oma Krullenbol gaan om te kijken of zij de poster ook opgehangen heeft?'

Julian, Elines broertje, speelt in een hoek van de kamer met zijn autootjes. 'Ook mee,' roept hij als hij de naam van oma Krul-lenbol hoort.

Eline vindt het niet altijd leuk dat haar kleine broertje mee-gaat. Ze wil ook wel eens ergens naartoe zonder hem. Maar Joost zegt: 'Kom maar, Julian,' en hij pakt hem bij de hand.

'Je kunt wel merken dat jij geen broertje of zusje hebt,' zegt Eline snibbig. 'Je mag Julian best eens een tijdje lenen.'

'Wil Julian niet,' zegt het jongetje, terwijl hij hard met zijn hoofd schudt. 'Ik wil wel met Joost spelen, maar ik slaap bij ma-ma.'

'Ja hoor, dat is goed,' zegt Eline die alweer spijt heeft dat ze zo kattig was. Ze pakt Julian bij zijn andere hand en met zijn drie-tjes steken ze het Laantje zonder Eind over.

Ze dachten dat oma Krullenbol wel op haar bloemetjesbank een boek zou zitten lezen of thee zou drinken met Karel Krake-ling, maar ze ligt met haar buik op de zitting van een stoel.

'Wat bent u aan het doen?' vraagt Eline verbaasd.

'Ik oefen de schoolslag. Het gaat al aardig goed,' zegt ze en ze doet het een paar keer voor. 'Voor, spreid, sluit,' roept ze en: 'Intrekken, spreid, sluit', en daarbij beweegt ze haar armen en benen, net alsof ze echt in het water ligt. Na een tijdje stopt ze. Haar hoofd is rood van de inspanning en op haar voorhoofd staan zweetdruppeltjes.

'Mag ik ook een keer?' vraagt Joost.

'Tuurlijk,' zegt oma Krullenbol. 'Dan puf ik even uit.'

Joost gaat op de stoel liggen en oefent, Eline probeert het daarna en natuurlijk wil Julian ook. 'Intrekken, sluit!' roept hij en hij beweegt zo wild met zijn armen en beentjes dat hij van de stoel afglijdt.

'Ik duik in het diepe!' roept hij en hij begint te juichen alsof hij de wereldkampioenschappen zwemmen heeft gewonnen.

'Opscheppertje,' zegt Eline. Ze helpt hem gauw overeind, voor hij merkt dat zijn knie bloedt en hij gaat huilen.

'Ik ga nog even oefenen,' zegt oma Krullenbol. 'Dan zal ik jullie bij de volgende zwemles eens wat laten zien.'

Ze gaat weer op haar buik liggen en trekt haar armen en benen in. Net op dat moment loopt Keffie op zijn gemak de tuin in. Hij drentelt naar de stoel waarop oma Krullenbol ligt en kijkt nieuwsgierig naar haar. Dan begint hij hard te blaffen.

'Stil, Keffie. Het is oma Krullenbol maar. Niet zo boos doen,' zegt Eline en ze kriebelt het hondje op zijn kop.

Oma Krullenbol komt van de stoel, dan pas herkent Keffie haar en springt hij vrolijk tegen haar op.

'Domme hond,' zegt ze. 'Zag je niet dat ik het was?'

Karel Krakeling komt ook de tuin in. Hij neemt kleine stappen en draagt een grote bak met water. Er drijft wat glibberigs in. Eline, Joost en Julian gaan nieuwsgierig naar hem toe.

'Wat is dat?' vraagt Joost, terwijl hij in de bak gluurt.

'Kikkerdril!' roept Eline.

'Goed geraden,' zegt Karel Krakeling. 'Hier komen wel honderd kikkervisjes uit. Ik heb ze gekregen van een vriend. Hij heeft een vijver en wilde ze kwijt, want er springen al te veel kikkers in zijn tuin.'

Oma Krullenbol komt ook kijken.

'Wat ga je ermee doen, Karel?' vraagt ze.

'Het leek me leuk om ze in ons zwembad los te laten. We oefenen er toch niet zo vaak meer in sinds jullie naar zwemles gaan en al kunnen drijven,' zegt hij.

'Ik wil geen kikkers,' zegt oma Krullenbol. 'Nou, twee of drie is misschien wel gezellig, maar honderd zijn er echt te veel. Stel je voor. Een kikkerkoor in mijn tuin.'

'Maar vind je het goed dat ik ze tot het echte kikkers zijn in het zwembad vrijlaat? Kikkervisjes kwaken niet en het is leuk om te zien hoe ze in kikkertjes veranderen.'

Eline en Joost kijken naar oma Krullenbol. Ze hopen dat ze het goed vindt.

'Maar wat doe je als het kikkers zijn geworden?' vraagt oma Krullenbol.

'Dan vang ik ze en dan breng ik ze naar de sloot,' zegt Karel Krakeling.

'Nou, vooruit,' zegt oma Krullenbol.

'We geven ze iedere dag wat vissenvoer, zodat ze goed groeien,' zegt Karel Krakeling, 'en we doen er wat kroos en plantjes uit de sloot in.'

'En ze hebben de ruimte om goed te leren zwemmen,' zegt Joost.

'Ja!' roept Eline. 'Wij kunnen vast nog veel van ze leren!'

# Een spannende zwemles

Eline, Joost en oma Krullenbol wachten in de kleedkamer tot de zwemles begint.

Eline moet steeds plassen. 'Ben je zo zenuwachtig?' vraagt Joost. 'We kunnen toch al hartstikke goed zwemmen?'

'Ik doe het omdat ik dan een beetje lichter ben,' zegt Eline. 'Dan gaat het nog beter.'

'Weet je zeker dat het helpt?' vraagt Joost.

'Tuurlijk,' zegt Eline.

'Dan ga ik ook nog maar even naar de wc,' zegt Joost.

Het wordt vandaag een spannende les. Ze moeten voor de eerste keer met kleren aan zwemmen. Eline heeft een korte broek meegenomen en een dun bloesje en van mama heeft ze plastic waterschoentjes gekregen.

Ook Joost heeft kleren die licht zijn, maar oma Krullenbol heeft een wijde wollen rok meegenomen en een trui.

'Ik denk dat jullie slimmer zijn,' zegt ze als ze haar eigen kleren vergelijkt met de zomerspullen van Eline en Joost. 'Ik hoop wel dat ik blijf drijven.' Eline en Joost kijken elkaar bezorgd aan. Als dat maar goed gaat.

Ze beginnen met baantjes trekken, gewoon in hun badpak. Eline en Joost zwemmen naast elkaar. Ze doen de schoolslag en schieten vooruit als dolfijntjes. Af en toe hangen ze even aan de kant om uit te rusten en daarna gaan ze weer verder. Voor het A-diploma moeten ze vijftig meter schoolslag zwemmen en vijftig meter op hun rug.

Dat is een heel eind en dan mogen ze niet even rusten, maar hun moeders zeggen dat ze nog tijd genoeg hebben om dat te leren. 'Jullie worden steeds sterker en straks halen jullie die twee keer vijftig meter met gemak.'

Oma Krullenbol heeft er meer moeite mee. Ze is sneller buiten adem en ze schiet ook niet als een dolfijntje door het water. Ze lijkt meer op een walrus die op zijn gemak van de ene naar de andere kant zwemt, maar ze houdt wel vol!

'Wij gaan heel wat sneller dan oma Krullenbol,' zegt Joost.

'Ach,' zegt Eline, 'ze leert tenminste zwemmen. Als we naar het strand gaan, is ze vast niet meer bang voor de zee.'

'En ook niet voor de hoge golven,' vult Joost aan. Ze vinden het alle twee altijd leuk als oma Krullenbol meegaat. Ze is vrolijk en meestal heeft ze leuke plannetjes. Maar nu is ze heel ernstig. Ze zwemt met een diepe rimpel boven haar neus, alsof ze bij iedere arm- en beenslag na moet denken.

'Het gaat goed hoor, oma Krullenbol!' roepen Eline en Joost als ze een baantje terugzwemmen en haar passeren.

Ze lacht even, maar kijkt dan weer ernstig, puffend en belletjes blazend.

Juf Astrid klapt in haar handen. Ze klauteren allemaal op de kant.

'Nu gaan we een paar baantjes trekken met de kleren aan,' zegt ze.

Eline en Joost trekken snel hun dunne zomerkleren over hun badpak aan. Eline is als eerste klaar. Joost zit op de grond en strikt de veters van zijn sportschoenen. 'Ik wilde eerst mijn regenlaarzen meenemen,' zegt hij, 'maar mama zei dat ze vol zouden lopen en dat ik dan zeker zou zinken.'

Domme Joost! Hoe kun je nou zelfs maar denken aan zwemmen met je laarzen aan!

'Echt iets voor jou,' zegt Eline. 'Slim dat je toch die sportschoenen meegenomen hebt.'

Oma Krullenbol heeft haar wijde plooirok al aan en ze worstelt met haar trui. De mouwen plakken aan haar natte armen. Ze trekt en wurmt en eindelijk heeft ze alles aan.

'In het water!' roept juf Astrid.

Ze springen er allemaal tegelijk in. Het water spat in het rond.

De mensen die langs de kant zitten, springen verschrikt opzij, maar er zijn toch een paar moeders nat geworden.

'Sorry, hoor!' roept juf Astrid.

Dan kijkt iedereen verbaasd naar oma Krullenbol. Haar wijde plooirok danst even als een ballon om haar heen en verdwijnt dan onder water. Oma Krullenbol maait met haar armen, maar haar benen raken verstrikt in de wijde rok.

'Ik geloof dat ik de verkeerde kleren heb meegenomen,' roept ze, voor ze naar de bodem zinkt.

'Help,' roept Eline. 'Help! Oma Krullenbol verdrinkt.'

Juf Astrid duikt gauw naar de bodem en trekt oma Krullenbol aan haar arm omhoog. Proestend komt ze boven. 'Als ik mijn benen beweeg, gaan ze door de plooien in mijn rok in de knoop zitten,' zegt ze nog nahijgend.

'Trek hem maar gauw uit,' zegt juf Astrid. 'U mag vandaag alleen in de trui zwemmen, dat is al moeilijk genoeg.'

Oma Krullenbol klautert snel op de kant en trekt de plooirok uit, dan springt ze weer gauw in het water.

'Dat gaat beter,' roept ze tevreden.

De hele groep trekt een paar baantjes en dan is het alweer bijna tijd. Ze mogen nog vijf minuten met het vlot en de ballen in het water spelen.

'Het ging goed,' zegt Joost. 'Met kleren aan zwemmen is makkelijker dan ik dacht.'

Als beloning omdat ze zo goed hun best hebben gedaan, krijgen ze allemaal van de juf een sticker om op de zwemposter te plakken.

*Gekleed zwemmen doe ik als de beste* staat erop.

'Nou, ik weet niet of dat voor mij ook geldt,' zegt oma Krullenbol.

'Ja, hoor,' zegt juf Astrid. 'Met uw trui aan ging het goed. De volgende keer neemt u gewoon een korte broek mee, want zwemmen met zo'n zware rok aan zou ik ook niet kunnen.'

Oma Krullenbol lacht opgelucht.

Ze gaan zich snel douchen en omkleden.

'Leuk dat we er weer een sticker bij hebben,' zegt Eline. 'We hebben er nu al zes!'

'Voor we het weten hebben we het A-diploma,' zegt oma Krullenbol en ze kijkt er heel trots bij.

'Ik heb ook nog een verrassing,' zegt de moeder van Eline. 'Omdat jullie zo je best hebben gedaan en zelfs kunnen zwemmen met kleren aan, gaan we een pannenkoek eten.'

'Heerlijk,' zegt oma Krullenbol. 'Na zwemles heb ik altijd zo'n trek.'

'Wij ook!' roepen Eline en Joost in koor.

'Mag ik ook een pannenkoek?' vraagt Julian. 'Ik kan ook heel goed zwemmen als ik mijn dolfijnenzwembroek aanheb!'

# Krokodil bijt in je bil

Eline, Joost en oma Krullenbol gaan iedere week naar zwemles en de kikkervisjes in het zwembad worden steeds groter. Uit het kikkerdril komen eerst kleine donderkopjes met een staartje. Iedere dag gaan Eline, Joost en Julian even kijken.

'Ze kunnen meteen al zwemmen,' zegt Eline. 'Goed, hè! Wij moeten het leren.'

'Wij hebben ook geen staart,' zegt Joost, 'en later krijgt dat visje zwemvliezen tussen zijn tenen, die hebben wij ook niet.'

'Maar er is geen mama kikker die het voordoet,' zegt Eline. 'Vogels leren vliegen van hun moeder. Wij leren zwemmen van juf Astrid. Ik vind het knap dat die kikkervisjes het kunnen zonder dat iemand het voordoet.'

'Ja, dat is zo,' zegt Joost en hij tuurt over de rand van het zwembadje in het water. Er zijn al kikkervisjes die achterpootjes hebben en hun staartje kwijt zijn. Een paar hebben zelfs al voorpootjes.

Karel Krakeling heeft een stuk boomschors in het water gelegd. Het blijft drijven en soms zit er een piepklein kikkertje op om te genieten van de zon.

Oma Krullenbol en Karel Krakeling komen ook eens naar de kikkertjes kijken. Er zitten er net twee op het eilandje van boomschors.

'Leuk zijn ze,' zegt oma Krullenbol en ze probeert of er een op haar hand wil zitten. Maar het kikkertje schrikt en neemt een sprong, bijna over de rand van het zwembad heen.

'Sjonge,' zegt Joost. 'Die kan al hoog springen.'

'Nou,' zegt oma Krullenbol. 'Dat had ik niet verwacht van zo'n klein beestje.'

'Er zitten er meer in die al bijna kikkertjes zijn,' zegt Karel Krakeling. 'Misschien moeten we ze nu in de sloot loslaten, want als ze over de rand springen krijgen we ze niet meer te pakken.'

'Nee,' zegt oma Krullenbol, 'en dan blijven ze in mijn tuin wonen en heb ik straks toch een kikkerkoor.'

Oma Krullenbol pakt uit de schuur een emmer en een schepnet. Ze vult de emmer met water en om de beurt mogen Eline, Joost en zelfs Julian kikkertjes vangen en in de emmer doen.

Als ze alle kikkertjes gevangen hebben, is het in de emmer een gekrioel van jewelste.

Eline kijkt er verbaasd naar. 'Ze zijn een beetje zenuwachtig,' zegt ze. 'Ze snappen niet waarom ze nou zo dicht bij elkaar zwemmen.'

'Kom, we gaan ze uitzetten. Dan hebben ze weer de ruimte,' zegt Karel Krakeling. Hij pakt de emmer en met zijn allen gaan ze naar de sloot.

Boer Bart is in zijn tuin aan het werk. Hij komt nieuwsgierig kijken wat ze gaan doen.

'We laten de kikkervisjes vrij,' roept Eline. 'Is het goed? Er zijn al een paar kikkertjes bij.'

'Ja, hoor,' zegt boer Bart. 'Dat vind ik gezellig. Dan heb ik koeien die loeien, schapen die blaten, kippen die tokken, een haan die kraait en kikkers die kwaken.'

Ze gaan op hun hurken aan de rand van de sloot zitten. Voorzichtig laat Karel Krakeling de emmer in de sloot zakken en keert hem langzaam om.

Joost buigt zich voorover om beter te kunnen kijken. 'Zijn die kikkervisjes broertjes en zusjes?' vraagt hij.

'Als het kikkerdril van dezelfde kikker was, wel,' legt Karel Krakeling uit, 'maar dat weten we natuurlijk niet.'

'Zielig,' zegt Joost. 'In die sloot vinden ze elkaar nooit meer terug.' Hij buigt zich nog verder naar voren en tuurt tussen het kroos en de waterplanten naar de visjes die allemaal een andere kant op zwemmen.

Ineens verliest hij zijn evenwicht. Hij rolt voorover in de sloot en gaat kopje-onder.

Eline, Julian, oma Krullenbol, Karel Krakeling en boer Bart schrikken, maar Joost komt lachend boven water met zijn hoofd vol kroost.

'Niks aan de hand,' zegt hij. 'Ik kan toch zwemmen!'

54

Karel Krakeling steekt zijn hand uit om hem eruit te trekken, maar Joost zwemt op zijn gemak een stukje in de sloot.

'Kom eruit, Joost!' zegt oma Krullenbol. 'Je wordt ziek. Dit water is vies.'

Maar Joost luistert niet. Hij gaat steeds verder weg. Een paar eenden vliegen snaterend op.

Joost zwemt tussen de waterplanten door.

'Wat zal zijn moeder daar wel niet van zeggen?' moppert oma Krullenbol.

Ze lopen met Joost mee. Oma Krullenbol houdt Julian stevig bij de hand. Eén kind in de sloot is wel genoeg.

'Kom eruit, Joost!' roept ze een beetje boos. Ze stampt met haar voeten op de grond, maar Joost luistert niet.

Boer Bart schudt zijn hoofd.

'Joost,' roept hij. 'Ik wil niet dat je in mijn sloot zwemt. Vorige week heb ik een snoek gezien en die lusten wel kleine jongetjes.'

Dat helpt! Joost zwemt razendsnel naar de kant en klautert op het droge.

'Ga maar gauw naar huis douchen en droge kleren aantrekken,' zegt oma Krullenbol. 'Anders vat je nog kou.'

'Echt Joost, hoor,' zegt Eline. 'Wie valt er nou ook in de sloot. Er had wel een krokodil in kunnen zitten.'

'Krokodil bijt in je bil,' rijmt Julian. Ze moeten allemaal om hem lachen, zelfs oma Krullenbol. Ze is niet meer boos. 'Ik ben blij dat het goed is afgelopen,' zegt ze. 'We hebben in ons land zoveel water. Gelukkig zitten jullie op zwemles.'

'Als ik groot ben,' zegt Julian, 'ga ik niet in de sloot zwemmen, want ik hou niet van krokodillen.'

# Vingers tellen onder water

Het zwemmen gaat steeds beter. Oma Krullenbol, Eline en Joost oefenen de borst- en rugcrawl. In het begin vonden ze op hun rug zwemmen maar niets. Bij iedere slag kwam er een golf water over hun gezicht.

'Niet je billen naar beneden duwen,' riep juf Astrid als ze dat zag. 'Buik omhoog, dan gaat het beter.'

Eline vond het moeilijk. Ze zakte steeds met haar billen naar beneden. Joost deed het goed en oma Krullenbol had een idee om Eline te helpen.

'Neem de volgende zwemles een badeendje mee,' stelde ze voor. 'Dat zet je op je buik als je op je rug zwemt. Als je zorgt dat het droog blijft, zwem je vanzelf met je buik omhoog.'

'Ja, dag,' mopperde Eline. 'Dan lacht iedereen me uit.'

Maar op de eerstvolgende les had Eline toch een badeendje bij zich. Het rugzwemmen ging toen heel goed. Zo goed, dat de andere kinderen ook het eendje van haar wilden lenen.

'Dat is een slim idee, Eline,' vond juf Astrid. 'Dat onthoud ik!'

'Oma Krullenbol heeft het verzonnen,' zei Eline eerlijk.

Juf Astrid stak haar duim op naar oma Krullenbol, die watertrappelen aan het oefenen was en trots haar hand omhoogstak.

Nu zitten ze op de achterbank van de auto met natte haren. Op de heenweg naar de zwemles praten en lachen ze altijd vrolijk, maar op de terugweg is het altijd stil. Eline, Joost en oma Krullenbol zijn moe van het zwemmen en Julian is ook een beetje slaperig, want in het zwembad is het warm.

Ze knabbelen aan een Liga. Dat is lekker na al die oefeningen in het water.

'Weet je wat ik zo moeilijk vind?' zegt oma Krullenbol. 'Onder water door het gat zwemmen. Ik zit altijd met mijn hoofd tegen de mat. Ik ben bang dat ik niet kan afzwemmen als het niet beter gaat.'

'Houd je onder water je ogen wel open?' vraagt de moeder van Eline die met een half oor geluisterd heeft.

'Tuurlijk niet,' antwoordt oma Krullenbol, 'dan krijg ik er water in.'

'Ja, maar dan kun je het gat in de mat ook niet zien,' zegt de moeder van Eline. 'Geen wonder dat het niet lukt. Ga je mee thee-drinken?' vraagt ze.

De vader van Eline is al thuis. Hij heeft de kachel hoger gezet en een warme trui aangetrokken. Buiten is het koud en guur. De zomer is voorbij, de bomen zijn al bijna kaal en de tuinen zien er ongezellig uit.

'Hoe ging het zwemmen?' vraagt hij.

'Best goed. De juf zegt dat Joost en ik voor Kerstmis af mogen zwemmen voor het A-diploma.'

'Zo, dan al!' zegt papa en hij tilt Eline op en zwaait haar in het rond. Meestal krijgt ze dan een lachbui, omdat papa net doet of hij een hapje uit haar buik wil nemen, maar nu kijkt ze niet vrolijk.

'Wat is er?' vraagt papa.

'Oma Krullenbol kan onder water het gat in de mat nooit vinden. Straks mag zij niet afzwemmen.'

'Kunnen Joost en jij het?' vraagt papa.

'Zij kunnen het wel en ik niet,' zegt oma Krullenbol met een pruillip. 'Straks hebben zij eerder het A-diploma en dan zwemmen we niet meer samen in dezelfde groep en dat vind ik niet leuk.'

Ze kijkt steeds sipper.

'Maak je geen zorgen, Elisabeth,' zegt Frank, de vader van Eline en Julian. 'Ik kan het je leren!'

'Hoe dan?' vraagt oma Krullenbol.

'Houd je onder water je ogen open?' vraagt hij.

'Dat vroeg mama ook al,' zegt Eline.

'Natuurlijk niet,' protesteert oma Krullenbol. 'Dan komt er water in.'

'Je kunt onder water kijken. De kikkers in de sloot van boer Bart doen dat, anders zouden ze tegen iedere waterplant opbotsten. Mensen kunnen het ook leren.'

'Echt?' vraagt oma Krullenbol.

'We gaan zondagmorgen samen naar het grote zwembad in de stad. Dan is het nog niet druk en kunnen we op ons gemakje oefenen. Wil je dat?'

'Ga jij dan ook het water in?' vraagt oma Krullenbol.

'Natuurlijk, anders kan ik het toch niet voordoen.'

Oma Krullenbol zucht opgelucht. 'Kan ik dan toch gelijk met Eline en Joost afzwemmen?' vraagt ze voor de zekerheid.

'Ja hoor, onder water kijken leer je in een uurtje.'

Het duurt nog een paar dagen, maar dan gaat oma Krullenbol met Joost, Eline en haar vader naar het grote zwembad in de stad. Het is nog heel vroeg. Een mevrouw achter het loket verkoopt de kaartjes. Ze zit nog een beetje te dutten en is blij dat ze een paar klantjes heeft.

'U bent de eersten vandaag. Ik denk dat de mensen met dat koude weer niet veel zin in zwemmen hebben.'

'Dat komt mooi uit,' zegt de vader van Eline, 'dan kunnen wij even rustig oefenen.'

Ze kleden zich snel om. Het zwembad is nog helemaal leeg. De badmeester zit op de kant een krant te lezen en steekt even zijn hand naar hen op.

'Ik kom oefenen in ogen onder water openhouden,' roept oma Krullenbol naar hem.

'Dat gaat lukken,' antwoordt de badmeester, 'dat is het makkelijkst van alle dingen die je op zwemles moet leren.'

'Nou hoor je het eens van een ander,' zegt de vader van Eline. 'Kom, geef me een hand, dan springen we.'

Het water in het grote zwembad is kouder dan het oefenbad van de zwemles. Eline en Joost zijn het gewend omdat ze er iedere zondag met de vader van Eline gaan zwemmen, maar oma Krullenbol bibbert. Gelukkig is ze snel gewend.

Ze zwemmen eerst een paar baantjes om hun spieren los te maken en dan zegt de vader van Eline: 'Nu gaan we onder water zwemmen en naar elkaar kijken.'

Onder water zwemmen vindt oma Krullenbol niet moeilijk. Dat kan ze al lang.

'Zullen we naar elkaar zwaaien?' vraagt Eline.

Dat doen ze. Ze duiken alle vier tegelijk kopje-onder en zwaaien naar elkaar. Oma Krullenbol zwaait met stijf dichtgeknepen ogen met alle twee haar armen. Ze ziet de anderen niet, maar ze zullen vast wel ergens zijn. Als ze weer bovenkomt, kijkt ze verbaasd om zich heen. Joost, Eline en haar vader zijn helemaal naar de andere kant van het zwembad gezwommen.

Oma Krullenbol lacht. 'Zijn jullie daar? Ik heb jullie niet zien wegzwemmen,' zegt ze.

'Nogal logisch,' zegt de vader van Eline. 'Je had je ogen dicht en zwaaide niet naar ons, maar naar de badmeester.'

De vader van Eline pakt haar hand. 'Ik weet een spelletje. We gaan gelijk kopje-onder en dan steek ik onder water een paar vingers op. Je doet je ogen open en houdt precies evenveel vingers omhoog, goed?'

Ze halen diep adem en onder water steekt hij drie vingers op. Oma Krullenbol doet haar ogen open en steekt ook drie vingers op. Hij steekt zijn duim omhoog. Oma Krullenbol doet het ook. En als de vader van Eline zijn hele hand opsteekt, doet ze dat ook na. Dan gaan ze naar boven om lucht te happen.

'Het ging goed, hè!' zegt Eline.

'Onder water kijken is leuk!' zegt Joost.

Ze oefenen nog een paar keer. Oma Krullenbol houdt ook haar vingers op en de anderen moeten het nadoen. De vader van Eline doet een paar keer net alsof hij zijn ogen onder water niet open durft te doen. Maar oma Krullenbol prikt hem dan met de opgestoken vingers in zijn buik en dan raadt hij het toch.

Het is leuk en helemaal niet moeilijk. Ze kunnen zelfs naar elkaar knipogen onder water.

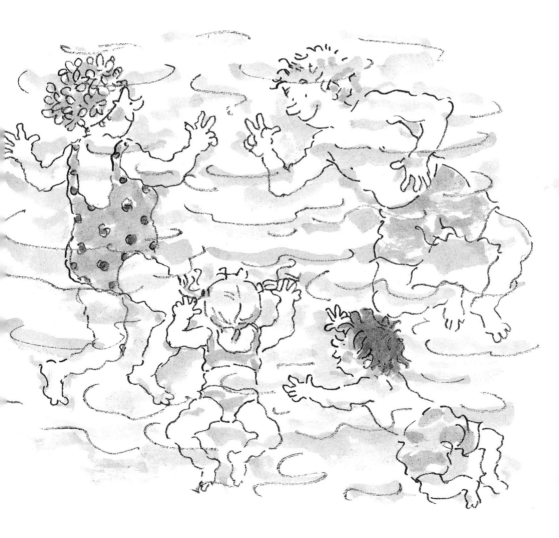

# Leuke verrassingen

In de kleedkamer van het zwembad is het een geklets van jewelste. Eline en Joost hebben er op de zwemles veel vriendjes bij gekregen en ze moeten elkaar iedere woensdagmiddag veel vertellen.

Oma Krullenbol staat voor de spiegel en worstelt met haar bloemetjesbadmuts. Er mag geen haartje onderuit komen en haar oren moeten ook droog blijven. Ze zegt dat als er water in komt, ze de rest van de dag een raar gepiep hoort.

Eline en Joost hebben daar gelukkig geen last van.

'Misschien krijg je dat als je wat ouder bent,' zegt Eline. Ze vindt het zielig voor oma Krullenbol en ze helpt haar even.

'Uw oren zijn weg, dus de badmuts zit goed,' zegt ze.

Oma Krullenbol lacht tevreden. Alle kinderen zijn er al lang aan gewend dat er een mevrouw in hun zwemgroepje zit. Ze kijkt zo grappig als ze achterelkaar vijf baantjes gezwommen heeft zonder te rusten. Ze puft altijd wel een tijdje uit op de kant, maar dat mag, dat doen ze allemaal wel eens.

Alle vaders en moeders zijn trots dat hun kinderen al zo goed kunnen zwemmen.

'Ze hebben het snel geleerd,' zeggen ze en: 'Die kleine van mij was altijd bang om onder de douche te gaan, maar dat is nu gelukkig ook over.' Ze maken ook veel foto's.

Eline en Joost vinden de schoolslag en borst- en rugcrawl niet meer moeilijk. Ze zwemmen zelfs al lang zonder drijfkurken en pannenkoeken en als ze samen baantjes trekken praten ze gezellig met elkaar.

'Leuk was de optocht van Sinterklaas, hè!' zegt Eline, terwijl ze op haar gemakje zwemt.

'De pieten die kunstjes op de fiets deden vond ik het leukst,' zegt Joost.

'Ik vond het paard heel mooi met die zwarte stippen. Zou hij kunnen zwemmen?' vraagt Eline.

Joost weet het niet, maar hij klautert op de kant om het aan juf Astrid te vragen. Als hij het antwoord weet, plonst hij snel weer in het water.

'Juf Astrid zegt dat paarden kunnen zwemmen,' zegt hij, 'maar ze zijn snel bang en ze hebben een groot lijf, dan hebben ze het misschien gauw koud.'

'Ja,' zegt Eline. 'Het water buiten is veel kouder dan het water in ons zwembad. Hier zou het paard van Sint vast wel een paar baantjes willen trekken.'

Joost lacht zich een hoedje. Hij gaat er zelfs van kopje-onder en als hij weer boven is roept hij: 'Stel je voor!'

'Ja,' grapt Eline, 'dan komt Sinterklaas aan juf Astrid vragen of zijn schimmel even mag oefenen. Want als ze teruggaan naar Spanje, wil hij misschien wel even de zee in duiken.'

'Wat zal-ie dan zwemmen, de schoolslag of borstcrawl?' vraagt Joost.

Eline en Joost moeten heel hard lachen. Het is ook zo'n gek idee. Oma Krullenbol heeft niets in de gaten. Ze zwemt braaf haar baantjes, maar juf Astrid komt kijken wat er aan de hand is.

'Mevrouw en meneer,' vraagt ze, 'wordt er nog gezwommen vandaag of komen jullie alleen een beetje dobberen? Ga maar eens een minuut watertrappelen.'

Dan is het gepraat afgelopen, ze doen weer hun best en tellen in zichzelf tot zestig.

In het zwembad hangt een klok, daarop kunnen ze zien hoelang de les nog duurt. Ze hebben nog tien minuten. Juf Astrid vraagt of ze allemaal even op de rand van het zwembad komen zitten. 'Ik heb een bijzondere mededeling,' zegt ze. 'Jullie kunnen al heel goed zwemmen, allemaal! Volgende week gaan we proefzwemmen voor het A-diploma in het zwembad in de stad. Ik heb een brief voor iedereen, vergeet die niet mee te nemen.'

'Echt?' roepen een paar kinderen. 'Mogen we echt al afzwemmen?'

'Ik ook?' vraagt oma Krullenbol aarzelend.

'Eerst een keertje proefzwemmen,' zegt de juf, 'en als het goed gaat mogen jullie in de week voor kerst het A-diploma halen, ook mevrouw Krul.'

'Hoera!' roepen de kinderen en oma Krullenbol juicht mee. 'Als ik het diploma heb, hang ik het boven mijn bed,' zegt ze.

'Goed, hè!' zegt Eline en ze gloeit van trots. Dan gooit juf Astrid een paar luchtbedden en ballen in het water en als verrassing zet ze de sproeier aan. Vandaag mogen ze extra lang spelen. 'Omdat jullie zo goed geoefend hebben,' zegt juf Astrid tevreden.

Ze knipoogt naar Eline en Joost en wijst naar oma Krullenbol.

'Probeert u nog maar eens even om door het gat in de mat te zwemmen,' zegt ze.

Oma Krullenbol klautert op de kant en springt als een spijker in het water. Ze raakt bijna de bodem en zwemt met gemak door het gat in de mat.

'Goed zo!' zegt juf Astrid.

Eline en Joost gooien een opblaasbare bal naar elkaar over en oma Krullenbol probeert hem te pakken. En ze spelen met zijn allen *Schipper mag ik overvaren*. Dan is het tijd en rennen ze naar de douche om zich te wassen. In het water zit veel chloor en dat moet eraf, anders ruiken ze 's avonds nog naar het zwembad.

Eline en Joost staan samen onder de douche. De moeder van Eline neemt altijd zeep en shampoo mee, dan kunnen ze meteen hun haar wassen. Joost heeft korte stekeltjes. Hij kan zelf het schuim uitspoelen, maar Eline heeft lang haar. Ze houdt altijd een washandje voor haar ogen, want ze wil niet dat er shampoo in komt, dat prikt, dus mama helpt haar. Meestal zijn ze als eersten bij de douche, maar ze komen er als laatsten uit. Vandaag teuten ze zo, dat de meeste kinderen al naar huis zijn en oma Krullenbol al aangekleed zit te wachten. Ze stopt iets in haar mond.

'Heeft oma Krullenbol snoep?' vraagt Julian, die van lekker smikkelen houdt.

'Kijk maar eens in jullie schoen,' zegt oma Krullenbol.

Eline en Joost lopen in hun blootje naar het haakje waar hun kleren hangen. In hun schoen zit een zakje met pepernoten en schuimlettertjes.

'Hoera!' roept Eline. 'Sinterklaas is langs geweest.'

'Dat komt natuurlijk omdat wij over zijn paard gepraat hebben,' zegt Joost.

Julian trekt in het zwembad ook altijd zijn schoenen uit, want de witte tegels op de vloer moeten schoon blijven. Hij loopt vlug naar zijn schoentjes. Er zit ook een zakje snoep in.

'Kijk eens,' roept hij blij. 'Julian heeft ook van Sinterklaas pepernoten gekregen en ik ben niet eens op zwemles.'

'Dat is aardig van Sint,' zegt Eline. 'Hij weet natuurlijk al dat jij als je groter bent ook op zwemles gaat.'

Meestal roept Julian stoer dat hij al kán zwemmen, maar nu roept hij: 'Ik wil gauw op zwemles, want dan krijg ik van Sinterklaas weer snoepjes in mijn schoen!'

# Chocolademelk en warme wafels

Het proefzwemmen gaat heel goed. Maar het water is wel erg koud. Eline springt iets te dicht op de kant en stoot haar teen tegen de rand. Ze huilt tranen met tuiten. Gelukkig troost haar vader haar en hij helpt haar ook met de natte kleren aan- en uitdoen. De vader van Joost is ook meegekomen om te helpen. Alles gaat precies zoals voor het echte afzwemmen.

'Het gaat heel goed,' zegt juf Astrid na afloop. 'Als jullie het zo doen, haalt iedereen zijn diploma!'

Er gaat gejuich op. Als Eline, Joost en oma Krullenbol aangekleed zijn, trakteert de vader van Eline op warme chocolademelk in het restaurant van het zwembad.

'Dat hebben jullie wel verdiend,' zegt hij.

Dat vinden Eline en Joost ook en oma Krullenbol zit helemaal te glunderen.

'Ik had niet gedacht dat ik nog eens zo goed zou leren zwemmen,' zegt ze.

'Gaat u nu van de zomer weer met ons mee naar het strand?' vraagt Eline.

'En durft u dan wel de zee in of bent u nog steeds bang voor hoge golven?' vraagt Joost.

'Ik duik erin,' zegt oma Krullenbol lachend. 'Geen golf is mij te hoog.'

Ze geloven haar, want in het oefenzwembad springt ze ook zomaar in het diepe en vist ze met gemak een pion van de bodem.

Op de terugweg begint het zacht te sneeuwen. Dikke vlokken dwarrelen traag door de lucht.

'Hoera, sneeuw!' juicht Joost.

'Papa, mag ik de slee van zolder halen?' vraagt Eline.

'Goed hoor, maar ik weet niet of de sneeuw blijft liggen. Misschien smelt hij snel weg.'

'Gisteren zag ik op de sloot van boer Bart een dun laagje ijs,' zegt oma Krullenbol. 'Het vriest een beetje, dus misschien blijft de sneeuw toch liggen.'

'Ik hoop het,' zegt Eline, 'dan kunnen we fijn buitenspelen.'

'Dan maken we een sneeuwpop,' zegt Joost. Hij wrijft zich in zijn handen van de voorpret, maar ook een beetje van de kou.

De sneeuwbui wordt steeds dikker. Papa moet zelfs de ruitenwisser van de auto aanzetten.

'Kijk daar eens!' roept Eline. Ze wijst naar de duinen aan de linkerkant van de weg. 'Daar loopt een ree!' Op zijn gemak zoekt het dier in de sneeuw naar iets eetbaars.

'Het is weer winter,' zegt de vader van Eline, 'dan komen de reeën dichter bij de huizen omdat ze honger hebben.'

'Ik wou dat er eentje naar ons laantje kwam,' zegt Joost die zijn neus tegen de ruit drukt. Er komt een wolkje van zijn adem op, maar dat veegt hij gauw weg met de mouw van zijn jack. 'Mooi is hij, hè?' zegt hij bewonderend.

Thuis hebben mama en Julian een verrassingslunch klaargemaakt met lekkere broodjes en warme wafels. Joost en oma Krullenbol eten ook mee.

'Hè, gezellig!' zegt oma Krullenbol. 'Ik ben toch zo blij dat ik verleden jaar hier ben komen wonen.'

Daar zijn ze het allemaal mee eens. Het is leuk dat oma Krullenbol in hun laantje woont.

Na het eten kruipen ze dicht bij de open haard en leest oma Krullenbol een verhaal voor. Als hun haren droog zijn, sneeuwt het nog steeds.

'De sneeuw blijft toch liggen,' zegt de vader van Eline verbaasd. 'Ga de slee maar van zolder halen, dan gaan we naar buiten. Verleden jaar hebben we in de hele winter geen sneeuw gehad en nu ligt er al een dik pak en het is nog niet eens kerst.'

Eline en Joost stommelen de trap op naar zolder. Eline weet precies waar de slee ligt. Ze klautert over de box en het wiegje van Julian heen en zet een paar dozen opzij. Dan heeft ze hem te pakken.

Met zijn tweetjes brengen ze de slee naar beneden. Julian staat al bij de voordeur te trappelen van ongeduld. Mama heeft hem zijn warme jas en wanten aangetrokken en ook zijn laarzen. Hij heeft een wollen muts op met een pluim eraan die bij iedere beweging heen en weer danst. Hij lijkt wel een kabouter.

Eline geeft haar broertje een knuffel.

'Ik wil op de slee,' zegt hij. 'Ik wil eerst.'

Eline zucht, dat is nou echt Julian. Ze wil zelf graag als eerste op de slee, maar ze weet zeker dat hij dan begint te brullen. Kleine broertjes zijn lief maar lastig.

'Het is goed, hoor Julian,' zegt ze snel. 'Jij mag eerst.'

Oma Krullenbol gaat ook mee. Ze heeft de kraag van haar jas opgezet en een extra warm vest aangetrokken. 'Ik heb echt zin in een frisse neus,' zegt ze.

Als ze het laantje uitlopen op weg naar het bos achter het weiland van boer Bart, horen ze Keffie blaffen. Hij komt hard naar hen toe gerend.

'Hij wil ook mee,' zegt Eline. In de verte loopt Karel Krakeling. Hij zwaait. 'Wacht,' roept hij. 'Ik heb ook zin in een wandeling in de sneeuw.'

Hij heeft hen snel ingehaald. Eline en Joost trekken de slee met Julian erop. Daarachter lopen de vader en moeder van Eline en Julian en daarachter lopen hand in hand oma Krullenbol en Karel Krakeling.

'Ze zijn nog steeds verliefd,' fluistert Joost in Elines oor. Ze kijkt achterom en schiet in de lach. 'Meneer Krakeling gaf oma Krullenbol net een kusje,' zegt ze.

'Hij is natuurlijk trots dat ze al zo goed kan zwemmen,' zegt Joost.

Ze lopen langs het weiland van boer Bart. De koeien staan op stal, alleen een paar schapen met een dikke wollen vacht staan stil met hun pootjes in de sneeuw. Ze kijken verbaasd om zich heen.

Op de sloot ligt inderdaad ijs.

'Oma Krullenbol had gelijk,' zegt de moeder van Eline. 'Het vriest, daarom blijft de sneeuw liggen.'

'Hoe zou het met de kikkertjes zijn?' vraagt Eline. 'Ze hebben het vast koud.'

Maar haar vader schudt zijn hoofd. 'Kikkers zijn koudbloedige dieren, die kruipen in de winter weg in de modder en daar gaan ze lekker liggen slapen.'

'En als het lente is worden ze wakker en dan krijgen we weer kikkerdril,' zegt Joost.

'Ik wilde dat ik met kikkers kon praten,' zegt Eline, 'dan zou ik ze vertellen dat wij al net zo goed kunnen zwemmen als zij en we hebben niet eens zwemvliezen tussen onze tenen.'

'Dat weten ze allang,' zegt Joost.

'Hoezo?'

'Ik ben toch een keer in de sloot gevallen,' zegt hij. 'Toen hebben die kikkervisjes me heus wel zien zwemmen!'

# Hoera, het zwemdiploma!

Vandaag is het een bijzondere dag. Oma Krullenbol is al vroeg wakker. Ze kijkt door haar slaapkamerraam naar buiten. Er is nog meer sneeuw gevallen. De hele wereld is wit. Het gordijn van het kamertje van Joost aan de overkant zit nog dicht, maar oma Krullenbol ziet dat Eline al wakker is. Het gordijn is open en het licht brandt.

Vandaag moeten ze met zijn drietjes afzwemmen voor het A-diploma. Het is spannend. Oma Krullenbol is zelfs een beetje zenuwachtig.

Ze zet in de keuken een kopje thee, smeert een boterham en legt er een plak kaas op. Ze moet goed eten, want dan heeft ze veel energie en kan ze beter zwemmen, maar ze krijgt bijna geen hap door haar keel. Ze bibbert en ze weet niet of het van de spanning of van de kou komt. Misschien moet ze nog even in bed kruipen, maar dan verslaapt ze zich vast.

'Ik ga maar onder een hete douche,' zegt ze in zichzelf. 'Dan zal het wel beter gaan.'

Als ze aangekleed is en haar zwemspullen bij elkaar zoekt, wordt er op de ruit getikt. Het zijn Eline en Joost. 'Kom, oma Krullenbol,' roept Eline. 'We mogen niet te laat komen.'

De ouders van Eline en Joost staan al bij de auto.

'Kom, jongens, opschieten,' roept de vader van Eline. Joost rent gauw naar de auto van zijn vader.

'Karel Krakeling zou ook meegaan om te kijken,' roept oma Krullenbol. Ze rent naar het huis van haar buurman en trekt hard aan de bel. Met een slaperig gezicht doet Karel Krakeling open.

'Karel,' zegt oma Krullenbol verontwaardigd, 'ben je nou nog niet aangekleed? We moeten weg.'

Karel Krakeling verschiet van kleur. 'Ik heb me verslapen, maar ik ben in een minuutje klaar.'

Het duurt vijf minuten, maar dan kunnen ze vertrekken. Keffie blijft thuis. Het zwembad is verboden voor honden. Hij staat op een stoel voor het raam met zijn voorpootjes op de vensterbank. Hij kwispelt met zijn staart, maar hij blaft niet. 'Het is een slimme hond,' zegt Karel Krakeling die gauw in de auto van oma Krullenbol stapt. 'Hij weet dat hij vandaag niet mee kan.'

In het zwembad is het een drukte van belang. Op de tribunes zitten vaders en moeders en zelfs opa's en oma's. Boven het zwembad wapperen vlaggetjes in alle kleuren van de regenboog en er klinkt vrolijke muziek.

Eline, Joost en oma Krullenbol moeten in de kleedkamer blijven wachten totdat iedereen een plaatsje heeft gevonden. Ze hebben over hun zwemkleren de dunne zomerkleren aangetrokken en de waterschoentjes aan. Eerst moeten ze laten zien dat ze met kleren aan kunnen zwemmen.

De moeders zitten naast Karel Krakeling en tussen hen in zit Julian. Hij kijkt met grote ogen rond en wijst naar de wapperende vlaggetjes.

De vaders helpen vandaag met het uittrekken van de natte kleren, dat hebben ze van tevoren afgesproken. Ze zitten aan de zijkant op een bankje.

'Wie helpt oma Krullenbol?' vraagt Eline. 'Ach, die kan het wel alleen,' antwoordt papa, 'maar als het niet lukt, help ik wel een handje.'

Daar is Eline blij om, stel je voor dat oma Krullenbol het diploma niet haalt omdat ze haar natte kleren niet uit kan krijgen omdat die aan haar armen en benen plakken.

Juf Astrid komt waarschuwen dat ze naar het zwembad mogen. In een lange rij gaan ze naast elkaar langs de rand van het bad staan. Oma Krullenbol staat tussen Eline en Joost in. Alle mensen klappen. Als het weer stil is, gaat Julian op de bank staan. 'Zet hem op, oma Krullenbol!' roept hij zo hard hij kan. Iedereen lacht en oma Krullenbol friemelt verlegen aan haar bloe-metjesbadmuts en trekt haar rok recht. Er mag niets misgaan.

Dan stopt de muziek en een badmeester met een microfoon in zijn hand vertelt dat het vandaag voor iedereen een belangrijke dag is.

'Zo meteen blaas ik op een fluitje en dan springt iedereen in het water om eerst vijftien seconden te watertrappelen. Bij ieder onderdeel geef ik aan wat er moet gebeuren. Veel succes!'

De vaders en moeders klappen weer en nemen foto's voor la-ter.

Het is makkelijk dat de badmeester steeds aangeeft wat ze moeten doen. Twaalfeneenhalve meter schoolslag, onder een lijn door duiken. Een halve draai om je as maken en dan twaalf-eneenhalve meter rugslag en daarna uit het water klimmen en vlug de natte kleren uittrekken.

Eline en Joost krijgen hulp van hun vader. Oma Krullenbol stapt snel uit haar rok en daarna wil ze haar blouse over haar hoofd uittrekken. Maar de mouwen plakken aan haar armen. Ze wiebelt en worstelt, maar het lukt niet. Ze krijgt de blouse niet uit.

'Pap, oma Krullenbol zit vast,' roept Eline. Ze staat zenuwach-tig langs de kant te springen.

Haar vader schiet te hulp en eindelijk heeft oma Krullenbol als laatste ook haar natte kleren uit. Ze heeft er een rood hoofd van gekregen en haar krullen pieken onder haar badmuts uit. Ze moeten nu drie meter onder water door het gat in de mat zwem-men.

'Ik hoop dat het lukt,' zegt oma Krullenbol nog snel voor ze in het water springt.

'Het gaat lukken,' roept Elines vader. 'Vergeet je ogen onder water niet open te doen.'

Alle opdrachten die ze voor het A-diploma moeten doen, gaan goed. Niemand stoot zijn hoofd of teen en niemand krijgt kramp. Zelfs oma Krullenbol raakt niet buiten adem.

Helemaal aan het eind moeten ze zestig seconden watertrappelen. De laatste tien seconden tellen alle mensen op de tribune mee. Een, twee, drie tot tien! En bij tien klinkt er gejuich. Hoera! Iedereen heeft het zwemdiploma gehaald!

In het water slaan Eline en Joost een arm om elkaar heen en oma Krullenbol geeft hun een dikke knuffel, zo blij is ze.

Maar dan gebeurt er iets grappigs. De kinderen die net nog watertrappelden en niet met hun voeten bij de bodem konden, komen langzaam omhoog en ineens lijkt het alsof ze op het water kunnen lopen. Ze kijken verbaasd om zich heen, zwaaien met hun armen en beginnen te dansen en te springen.

'Wat gebeurt er?' vraagt oma Krullenbol verbaasd.

'De bodem van het zwembad komt omhoog,' roept Eline en ze maakt van opwinding een paar grote sprongen. Dan klauteren ze allemaal op de kant om zich om te kleden voor de diploma-uitreiking.

Om de beurt worden ze bij de badmeester geroepen. Joost krijgt zijn diploma eerder dan Eline. Zijn achternaam begint met een D en die van Eline met een V en de uitreiking gaat volgens het alfabet. Als ze het diploma krijgen, houden alle kinderen het omhoog en dan krijgen ze een groot applaus van alle vaders en moeders, opa's en oma's. En juf Astrid geeft hun een sticker voor de zwemposter. *Geslaagd voor het A-diploma* staat erop.

'En als laatste,' zegt de badmeester met luide stem door de microfoon, 'heb ik nog een diploma voor een mevrouw die alle kinderen oma Krullenbol noemen!'

Oma Krullenbol zucht. Ze was al bang dat de badmeester haar vergeten was. Snel loopt ze naar voren. Ze krijgt het diploma en zelfs een dikke zoen van de badmeester. 'Goed gedaan, mevrouw,' zegt hij.

'Ik ben toch zo trots op je,' zegt Karel Krakeling als ze naar buiten lopen. 'Nu gaan we van de zomer lekker zwemmen in de zee!'

'Dan gaan we wedstrijden houden,' zegt oma Krullenbol. 'Ik weet zeker dat ik win.' Ze krijgt van Karel Krakeling een grote bos rode rozen.

'Ach, Karel, dat is lief van je,' zegt ze en haar wangen krijgen net zo'n rode kleur als de rozen. Eline en Joost knipogen naar elkaar.

Zij krijgen alle twee een pandabeertje dat kan grommen en snurken, omdat er een batterij in zijn buik zit.

'Hij lijkt net echt,' zegt Joost.

'Lekker zacht is-ie,' vindt Eline, terwijl ze het beertje tegen haar gezicht houdt.

'En gaan jullie het B-diploma ook halen?' vragen hun moeders tegelijkertijd.

'Tuurlijk!' roepen Eline en Joost. 'En zeker als we zo'n leuk cadeautje krijgen!'

'Voor een bos bloemen van Karel haal ik alle zwemdiploma's van de hele wereld,' zegt oma Krullenbol en ze stopt haar neus tussen de rozen, zodat niemand zal merken dat ze bloost tot achter haar oren. Maar ze hebben het allemaal lekker toch gezien!